각자의 새벽 속에서

발 행 | 2024년 1월 3일
저 자 | 안주현, 김연유, 강중현, 황민지, 강태경
디자인 | 오태현, 이소영, 이지민
펴낸이 | 한건희
펴낸곳 | 주식회사 부크크
출판사등록 | 2014.07.15.(제2014-16호)
주 소 | 서울특별시 금천구 가산디지털1로 119 SK트윈타워 A동 305호
전 화 | 1670-8316
이메일 | info@bookk.co.kr

ISBN | 979-11-410-6372-6

www.bookk.co.kr

각자의 새벽 속에서

목차

돌멩이가 떨어진 자리

아침이 오기 전 새벽은 누구에게나 힘들다. 새벽 공기가 폐에 들어차면 없던 잠도 달아났다. 해가 뜨기 전 거리는 심히 어두웠다. 가로등이 드문드문 밝히고 있지만, 빛이 영 시원찮아 자기 주변만 비추기에도 급급했다. 강민우와 최설이라고 다를 건 없었다. 허연 입김을 내뱉고 옷깃을 여미며 서둘러 어느 빌딩 앞에 도착했다.

최설이 인식기를 들어 입구에 설치된 건축 코드를 읽었다. 건축 코드로부터 홀로그램 화면이 뜨며 '은혜와 축복 빌딩'이라는 문구가 떴다.

"이 건물 맞아."

"그럼 시작할까."

안주현

강민우가 턱까지 올린 지퍼를 살짝 내리며 말했다. 그는 출입문에 설치된 센서를 유심히 쳐다보았다. 아직 두 사람은 건물에 들어갈 생각이 없었는지 센서를 유심히 쳐다보고, 센서까지의 거리를 가늠하는 듯싶더니 이내 강민우가 먼저 챙겨온 간이 사다리를 꺼냈다.

기술의 광범위한 발전에 따라 제품의 교체 속도가 빨라지면서, 자연스럽게 기술의 안전한 처리에 대한 수요 역시 증가했다. 사후기술처리기사는 바로 그러한 맥락 속에서 탄생한 국가기술자격이었다.

사후기술처리기사에게 요구되는 자격은 전반적인 공학과 공학 디자인에 대한 이해, 설계 및 역설계의 응용력, 그리고 실제 안전 처리 과정 검증이었다. 두 사람 모두 우수한 사후기술처리기사로 함께 일하는 사이였다.

"민우야, 잠깐."

"응?"

"작동은 확인해보자. 혹시 모르잖아."

강민우가 사다리를 올라 바로 센서를 보려고 할 때, 최설이 그를 세웠다. 강민우는 잠깐 최설과 센서를 번갈아 쳐다보더니 고개를 끄덕였다. 사다리에서 내려온 강민우는 일전에 받아둔 출입증을 꺼내 건축 코드에 찍었다.

삑. 자동문이 양옆으로 열렸다. 강민우는 대수롭지 않게 문을 넘어 안쪽으로 들어가려고 할 때였다. 강민우가 문의 경계선을 넘자 귀를 찢는 날카로운 소리가 울렸다. 강민우는 황급히 귀를 막고 뒤로 물러설 수밖에 없었다.

"와 씨, 생각했던 것보다 심한데?"

"영상으로 봤던 것보다 심하네."

최설은 미리 준비해둔 귀마개를 강민우에게 건네며 말했다. 귀마개를 끼니 경보 장치의 소음은 한결 들을 만했지만, 그런데도 여전히 시끄럽다고 느껴질 수준이었다.

"이 근처 이비인후과는 횡재했네."

강민우가 귀마개를 소중히 다루며 크게 말했다. 최설은 못마땅한 듯 쳐다봤다. 최설 역시 강민우가 들을 수 있게끔 크게 말했다.

"꼭 그렇게 말해야겠어?"

"어차피 우리가 철거할 거잖아. 주문은 일단 수동 미닫이문으로 해달라 했으니 센서랑 경보 장치만 없애면 되겠지."

"전기도 제대로 끊어놓아야지."

"근데 언제까지 울리냐."

소음은 그칠 기색이 없었다. 결국 두 사람은 소음 중에 해체 작업을 진행할 수밖에 없었다. 전기를 끊으면 손쉽게 해결할 수 있었지만 건물주 요청에 따라 위험수당을 추가로 받고 절전 없이 작업해야 하는 이유도 있었다.

안주현

"수고하십니다."

"고생하십니다."

"어휴, 이제 소음 좀 안 듣고 살겠네요."

어느덧 날이 밝고 아침 일찍 출근하는 직장인들이 두 사람을 보고 반갑게 인사했다. 강민우와 최설도 그들의 인사를 미소로 받았다.

"방금 봤어?"

"뭐가?"

최설은 센서에 내장된 프로그램을 살피고 있어서 사람들을 유심히 쳐다보지 못했다. 강민우는 마지막 전선을 처리하고 건물 코드에 출입증을 찍어봤다. 삑. 소리는 났지만 문은 작동하지 않았다. 임시로 손잡이를 달고 사고의 근본적인 원인만 분석해 보고서를 올리면 그들의 일은 끝났다.

"다들 한 번씩 당한 모양이던데."

"진짜?"

"다들 귀에 뭐 쓰고 있더라고."

"그거 다 새벽 출근자들이지?"

"어? 어, 그렇지."

"버그라기엔 좀 미심쩍은데."

최설은 입술을 톡톡 두드리다가 노트북을 돌려 강민우에게 보여줬다. 강민우는 화면에 빼곡한 코드 뭉치들을 적당히 훑어보다가 말했다.

"반응 설정이 중복이네. 실수인가?"

"실수라기엔 중복 반응에 대해 더 강한 소음을 내는 걸로 설정이 돼 있어서 일부러 이렇게 짠 게 아닌가 싶긴 한데, 물증은 없지. 코딩 하나가 이런저런 실수하는 건 비일비재하니까."

최설은 말을 마치고 잠깐 주위 눈치를 보더니 강민우에게 가까이 다가가 말했다.

"그리고 따로 얘기할 게 있어. 자리를 옮기자."

"그래, 일단 현장에서 할 일은 거의 다 끝났으니까."

두 사람은 경보 장치를 철거하면서 생긴 약간의 부산물과 함께 자리를 벗어났다. 출근하던 사람들은 없던 손잡이가 생겨남에 당황했지만, 적어도 고막을 찢는 불편함보단 훨씬 감내할 만한 것이었기에 금세 익숙해졌다.

*

"여기."

"고마워."

아침 해가 오르기 시작한 시간에 카페를 찾는 사람들은 대개 테이크아웃으로 가져가기에 안쪽은 한산했다. 그러한 분위기를 맞추려는 듯 카페에 흐르는 음악도 어느 잔잔한 클래식 선율이 깔렸다.

카페에 자리 잡은 두 사람은 따뜻한 커피로 몸과 마음을 녹였다. 해는 이제 막 떠오르기 시작했지만, 꼭두새벽부터 작업한 그들은 당장에라도 암막 커튼만 치면 그 자리에서 잠들 것 같았다.

"따로 얘기할 건?"

"아, 그거. 사실 프로그램 점검 중에 발견한 건데, 더미 데이터랑 주석에서 이상한 걸 발견했거든."

"개발자들 헛소리 끼워 넣는 게 어디 한두 번인가."

강민우가 대수롭지 않게 반응했지만, 최설은 고개를 내저었다. 최설은 더욱 진지한 표정으로 말했다.

"자유기술개발연대."

"응?"

"우리는 무한한 기술 개발의 가치를 숭상하며, 이는 절대적이다."

"뭐라고?"

"내가 찾은 문장들이야."

"거기에 그런 문장들이 있었다고?"

최설이 고개를 끄덕이자, 강민우는 인상을 구겼다. 자유기술개발연대라는 이름은 처음 듣거니와, 그런 문장이 들어간

돌멩이가 떨어진 자리

것과 이번 일의 연관성을 이해하기 힘들었다.

"그게 왜?"

"왜, 너 저번에 간이 냉각기 처리하다가도 나왔었잖아."

"아, 아?"

강민우는 기억을 더듬은 끝에 떠올렸다.

"아, 맞아. 별 쓸데없는 부품에 날개 표식이랑 그런 거 있었지. 그럼 그때 그거 만든 놈이랑 이번 경비 시스템이랑 같은 연대? 그런 건가?"

"그게 좀 애매해."

"그건 또 무슨 소리야."

강민우가 의문을 표하니 최설은 보란 듯이 자신이 검색한 내용을 노트북에 띄워 그에게 보여줬다. 최설이 검색한 건 비영리단체와 법인 단체 검색 기록이었다.

"없네?"

"맞아. 정식으로 등록된 단체가 아니야. 시민단체 같은 건 더더욱 아니고."

최설은 다시 노트북을 돌렸다. 강민우는 더욱 난감해했다. 실체가 없는 연대라니. 그렇다면 그걸 연대라고 부를 수 있긴 한 것인가?

"누구나 이 문장에 동의하면 그 사람은 자유기술개발연대 소속이다……가 암묵적으로 공유되는 이념인 것 같아."

"무한한 기술 개발의 가치를 숭상하며, 그건 절대적이라는?"

"응. 맞아."

"그걸 여기 오는 몇 분 사이에 다 검색한 거야?"

강민우가 내심 감탄하며 말하자, 최설은 음료를 쪼르륵 빨아 마시고 말했다.

"아니, 전부터 관심이 있어서 이참에 너한테도 알려준 거야."

"뭐야, 너도 자유기술개발연대야?"

"아니, 전혀. 취지나 말하고자 하는 건 이해는 하는데, 동의는 안 하는 편이지."

둘의 대화는 잠깐 끊겼다. 청소용 안드로이드가 대걸레를 밀며 둘의 주변을 열심히 닦았다. 강민우는 예리한 눈썰미로 기업 제품이 아닌 개인 주문 개발품인 걸 알아봤다.

1인 개발에 대한 단가가 상당히 낮아지면서 공장제 제품보다는 민간에 널린 개성 넘치는 개발자들에게 주문하는 것이 오히려 더 싸게 먹히거나, 효율이 높거나, 어필 포인트가 되기도 했다. '최소한의 표준 규격'이란 표어는 비단 한국뿐만이 아니라 세계가 자유 개발 시대에 들어섰다는 걸 상징하는 문구기도 했다.

"저 안드로이드도 자유기술개발연대가 만들었을까?"

"글쎄, 굳이 해부해서 하나하나 다 뜯어보기 전까진 모르겠지."

최설은 강민우를 따라 안드로이드를 힐끗 쳐다봤다. 열심히 바닥을 닦은 안드로이드는 다음 구역으로 넘어가 또 열심히 닦았다. 안드로이드가 움직이면서 눈치챈 것인데, 이 카페의 배경음악은 안드로이드가 송출하고 있던 것이었다.

강민우는 다시 업무 얘기로 넘어왔다.

"그보다 이번 건 자칫하면 고소당할 수 있는 실수잖아. 책임은 어떻게 지려고?"

"딱히 실체를 가진 집단은 아니니까. 건물주가 어떻게 계약서를 짰는지는 모르겠는데, 실제로 병원 간 사람도 많고, 우리가 올린 보고서는 상관관계를 입증하기 좋으니까, 아마 잘하면 콩밥도 먹지 않을까? 그래봤자 개발한 사람만 먹겠지만."

"어처구니가 없네."

강민우가 명료하면서도 신랄하게 평가했다. 최설은 고개를 끄덕여 동의했다.

*

의뢰인인 건물주에게 보고서를 올리고 며칠이 안 가 그들에게 회신이 왔다. 방범 시스템 개발자를 집단 고소하겠다는 내용이었고, 그에 대한 감사 인사였다. 강민우는 그러려니 하며 넘겼고, 최설은 이 일이 지방 기사로 작게 난 것을 우려했다.

강민우는 그런 것보다는 새로 들어온 의뢰가 껄끄러웠다. 기술 처리 의뢰가 이렇게 짧은 간격으로 들어온 것도 처음 있는 일이거니와, 처음으로 들어온 대기업의 의뢰였다. 이번에 직원 복지를 위해 새롭게 보급하기로 한 종합관리의자에 문제의 소지가 있는지 검증해주고, 문제가 있다면 처리해달라는 식의 내용이었다.

그리고 이런 식의 요청이 한두 군데가 아니었다. 이름만 부르면 누구나 알아들을 수 있는 기업이 하나, 업계에서 유명한 기업이 둘, 개인적으로 관심이 있어 지켜보던 기업이 셋이나 의뢰를 요청한 것이었다.

"이번에 들어온 거 받을 거야? 이번에 일 잘하면 법인 설립해서 운영해도 될 만큼 이름값 쌓일 텐데."

최설은 그런 강민우의 마음을 아는지 모르는지 생글생글 웃기만 했다.

"됐어. 아직까진 그럴 마음 없다."

강민우가 찝찝한 기색을 풀 생각을 안 하자, 최설도 그제야 미소를 거두고 진지하게 그의 옆에 다가와 앉았다.

"왜, 잘 되는 게 뭔가 이상해?"

"대기업은 자체적으로 사후기술처리 팀을 두고 있는 게 기본이잖아. 그게 여러모로 깔끔하고. 우리도 한창 기사 자격증 따려고 할 땐 대기업 목표로 공부했었고."

"그거야 그렇지."

"그런데 우리 같은 개인 사업자에게 의뢰했다는 건……. 자기들 팀을 못 믿어서 우리에게 맡긴다는 거잖아?"

강민우의 지적에 최설은 입을 벌렸다가 다시 다물었다. 아직 함부로 말할 내용은 아니었다.

"그게 좀 껄끄럽단 말이지. 자기네 팀을 신뢰하지 못할 이유가 대체 뭔가 싶어서……."

"뭐, 그건 직접 들어보면 되잖아. 굳이 우리끼리 머리 맞대고 있어봤자 답은 안 나오지."

최설은 뒷말이 남은 듯 입술을 옴짝달싹 못하다가 이내 꾹 다물고 자리에서 일어났다.

"친구 만나고 올게."

"친구?"

강민우는 최설에게 안 어울리는 단어가 붙었다고 생각했다. 그런 인식을 최설이 모르는 건 아니었기에, 그녀는 다소 신경질적인 말투로 대꾸했다.

"전에 말했던 개발자 친구 말이야. 전에 너한테도 소개해

졌잖아. 곽현서라고. 기억 안 나?"

"아, 아? 아아. 기억나. 1인 개발자였었지?"

"자기 말로는 어느 크루에 들어가서 개발 중이라는데, 정확한 얘기는 이번에 만나서 들어보려고. 그리고 겸사겸사 자유기술개발연대에 대해 물어보고."

"개발자에게 그런 걸 묻는 건 좀 조심스럽지 않나?"

강민우의 말에 최설은 잠시 눈을 굴리고 답했다.

"괜찮아. 자유기술개발연대가 죄다 문제 일으키는 것도 아니잖아?"

*

점심시간 직후의 시간은 사람들로 붐볐다. 어느 곳에서나 사람들이 넘쳐났다. 누군가는 배부른 배를 두드리며 직장으로 돌아가는 반면, 또 누군가는 이제 주린 배를 붙잡고 직장에서 나오기도 했다. 강민우는 약속 장소인 어느 건물 2층에 있는 카페에 올랐다.

"이쪽입니다."

탑멘트에서 나온 사람이 강민우를 먼저 알아보고 인사했다. 강민우는 말끔하게 차려입은 걸 보고 지금 자기 복장이 자칫 무례해 보이지 않을까 싶어 불쑥 걱정이 들었다.

"사실 제가 전에 다니던 직장에서 강민우 씨에게 몇 번 의뢰한 적이 있습니다."

"아, 그렇습니까?"

장호준 과장과 강민우는 서로 명함을 교환한 후 자리에 앉았다. 강민우는 다시 한번 탑멘트에 대해 복기했다. 수원에 본사를 두고 진천군에 공장을 세운 탑멘트는 안드로이드 관절 조립에 활용되는 부품을 납품하는 중견 기업이었다.

다른 좋은 조건을 제시한 대기업들을 놔두고 탑멘트 같은 중견 기업과 미팅을 가진 이유는 순전히 강민우의 감이었다. 대기업의 제안에서 받은 껄끄러움을 끝끝내 떨쳐내지 못했던 것이었다.

"일단 제안서는 다 읽으셨겠죠?"

"아, 네. 이번에 새로 도입한 조립 기계 품질 보증을 해달라고요."

"사실 회사도 사후기술처리기사를 계약이 아닌 고용 관계로 두고 싶어 하지만, 요새 업계에 소문이 흉흉해서 말이죠……. 하하."

장호준은 어색한 웃음으로 분위기를 풀어보려고 했으나, 꺼낸 이야기는 오히려 둘 사이를 더욱 얼어붙게 했다. 강민우는 특히 마지막 말을 흘려들을 수가 없었다.

"소문이요?"

안주현

"아, 혹시 못 들으셨나요?"

"제가 따로 커뮤니티를 하지 않다 보니……."

최설이 그렇게 사교성 없이 굴어선 밥도 못 벌어먹는다고 핀잔을 주던 게 오늘따라 쓰리게 다가왔다. 장호준은 강민우 같은 사람을 처음 보는지 눈에 띄게 당황하다가 이내 주위 눈치를 보고 조심스럽게 입을 열었다.

"사실, 요즈음 사후기술처리기사를 부르는 일이 잦아졌습니다. 그건 아시나요?"

"아, 네. 요새 저 같은 개인 사업자에게도 일감이 쏟아져서……. 그게 어떤 문제랑 엮인 건가요?"

"네, 혹시 자유기술개발연대라고 들어보셨을지 모르겠습니다."

그 이름의 등장에 강민우는 순간 기침을 연발했다.

"괜찮으십니까?"

"아, 네. 괜찮습니다. 그 연대가 무슨 일을 했나요?"

"강민우 씨께선 그 연대에 대해 얼마나 아십니까?"

강민우는 장호준의 태도가 미묘하게 달라진 걸 눈치챘다. 강민우는 대답을 조심해야 한다는 것까진 알았으나, 딱히 자기가 아는 게 없는 지금 조심할 것도 없다고 생각했다.

"딱 이름만 들어본 수준입니다. 저번에 처리한 기술에 자유기술개발연대로 추정되는 문구를 봐서요."

"……."

있는 그대로 솔직하게 털어놨음에도 불구하고 장호준은 여전히, 오히려 더욱 말을 섣불리 꺼내기 힘든 듯 눈을 이리저리 굴렸다. 강민우는 여기서 자신이 먼저 밀어붙여야 하는 걸 직감했다.

"그 연대에 무슨 문제가 있습니까?"

"씁! 그런 말은 함부로 하지 마시죠. 아직……. 소문일 뿐이니까요."

장호준이 곧바로 강민우의 말을 가로채며 말했다. 강민우는 거기서 대략의 정황을 파악했다. 뭐가 됐든지 간에 자유기술개발연대가 모종의 문제를 일으켰고, 그게 업계에 흉흉한 소문이 돌 정도로 꽤 여파가 큰 것 같았다.

"거참 뜻은 참 좋은 곳인데 말이죠……."

장호준은 겨우겨우 어렵게 말을 이었다. 강민우는 여전히 심드렁한 눈치였다. 다소 일이 심각하게 굴러가고 있다는 생각은 들지만, 어쨌든 본인은 자유기술개발연대 소속이 아니거니와, 오히려 그들이 일으킨 문제를 해결해야 하는 쪽에 있었기 때문이었다.

"일 얘기로 넘어갈까요? 제안서에 보증 비용 말인데요. 제가 혼자 일하는 게 아닌 건 알고 계시죠? 최설이라고, 저와 같이 일하는 사후기술처리기사가 있습니다."

"그분은 자유기술개발연대 소속이 아니신 거죠?"

장호준이 조심스럽게 물었다. 강민우는 어이가 없어서 피식 웃으며 답했다.

"아닙니다. 그리고 저도 아니고요."

"아, 네. 그렇죠. 당신은 기사니까……. 개발자는 아니죠."

장호준은 어리석은 질문에 대한 부끄러움을 느끼며 한숨을 푹 내쉬었다. 업무 얘기는 그 뒤로 1시간 넘도록 진행됐다. 구체적인 업무 내용부터 의뢰 이행 날짜, 근로 시간, 보증 비용, 사후 처리 협약…….

당일로 모든 걸 정하는 게 아닌 만큼 대략적인 선에서 나누는 것임에도 2시간 가까이 대화한 끝에 마무리할 수 있었다.

"후, 고생하셨습니다."

장호준은 다소 답답했는지, 혹은 끝없는 대화로 숨이 찼는지 넥타이를 약간 풀며 말했다. 그건 강민우라고 다를 건 없었다. 진이 빠진 그는 등받이에 몸을 푹 기댔다.

"아, 네. 과장님도 고생하셨습니다."

"계약서는 이틀 후에 전자문서로 발송하겠습니다. 검토하신 뒤 이상이 있으시면 첨부 내용을 실어 회신하시면 됩니다."

"네, 알겠습니다."

"아, 그리고……."

헤어지기 전, 장호준이 강민우를 다급히 불렀다.

"이번에 그, 연대 관련해서 꺼낸 얘기는 아무쪼록 서로 모르는 얘기인 걸로 합시다."

생각지 못한 제안에 강민우는 고개를 일단 끄덕이고 봤다.

"……네, 그럽시다."

"네, 살펴 가시죠."

돌아가는 길에 강민우는 최설에게 연락했다. 탑멘트의 제안과 합의한 내용을 말하니 최설도 흔쾌히 받아들이며 별 이견을 표하지 않았다.

"대기업 건을 날린 건 좀 아쉽긴 한데, 탑멘트도 나쁘진 않네."

"오히려 이게 맞을 수도 있어. 체급을 확 키워버리면 부작용이 오잖아."

"글쎄, 요새 세상 돌아가는 걸 보면 체급을 확 키워야 살아남지 않나 싶은데."

어느새 둘의 이야기는 업무 얘기에서 시시콜콜한 잡담으로 넘어갔다. 강민우는 장호준과 연대 이야기를 최설에겐 말해도 되지 않나 싶었지만, 장호준의 부탁도 있던 만큼 본인이 먼저 꺼내고 싶진 않았다.

물론 최설 역시 이전에 곽현서와 만났던 일에 대해 강민

안주현

우에게 말하지 않았다. 강민우는 그 역시 이해했다. 본인은 자유기술개발연대에 큰 관심을 비추지 않았고, 장호준을 만나기 전까지만 해도 변두리의 일이라고 생각했었다.

하지만 인식을 고쳐야 했다. 변두리에 있는 건 자유기술개발연대가 아니었다. 강민우가 격동하기 시작한 사회의 변두리에 있었다. 그 중심에는 자유기술개발연대가 있었다.

*

차를 몰고 공장에 도착했을 땐 해가 기울고 있었다. 퇴근 시간까지 아직 한참 남았지만, 강민우는 이래선 계약 기간 내에 보증을 못 끝낼지도 모른다는 생각이 들었다. 그 생각은 강민우만 한 게 아니었는지, 옆자리 조수석에 앉은 최설도 불안한 듯 말을 꺼냈다.

"아무래도 좀 늦게까지 일하는 게 좋겠지?"

"기간 엄수만큼 중요한 건 없으니까."

"아, 그전에 말이야."

주차 자리를 찾아 헤매던 중에 최설이 패드를 꺼내 화면을 톡톡 두드렸다. 몇 화면을 띄우고 강민우를 향해 넘겼다.

"이거 한 번 봐줘."

"나 운전 중이거든?"

"주차하고 나서 보라고."

"뭔데?"

"그냥, 신경 쓰이는 거. 우리 할 일이랑 직접 연관된 건 아닌데 알아둬서 나쁠 건 없는 거?"

최설의 말에 강민우는 벌써 피로감이 몰려오는 듯했다.

"요새 이런 일이 되게 많은 느낌이 드는걸."

"그거야 연대 관련해서 흉흉하잖아. 이젠 몰랐다는 건 변명이 안 돼. 특히 우리가 하는 일은 네가 누누이 말했듯 문제 생기면 안 되는 자리잖아."

최설의 말에 강민우는 귀찮다는 표정을 싹 지웠다. 그녀의 말이 맞았다. 사후기술처리기사는 다른 어떤 직업보다 엄격함을 요구받았다. 그들의 실수와 안일함과 기만이 불러올 여파는 그들이 단순히 자격증을 내려놓고 처벌받는다고 끝나는 수준의 문제가 아니었다.

최근에 해체한 보안 시설도 마찬가지였다. 그들이 제대로 철거하지 않아 소음이 계속 발생했다면? 더 많은 사람의 고막과 청신경이 손상돼 영구적인 장애로 이어진다면? 그 책임의 무게는 강민우와 최설이 감당할 수 있는 것인가?

그런 일이 일어나지 않기 위해서라도 두 사람은 언제나 최선을 다하고, 언제나 진지하게 임해야 했다.

안주현

주차를 끝내고 차에서 내리자 강민우가 말하지 않아도 최설이 먼저 패드를 건넸다. 패드에는 어느 회사 홈페이지 조직도를 띄워놨다.

"이번에 탑멘트에서 들였다는 설비를 만든 회사 경영진이야. 얼굴 좀 봐둬."

"이게 왜? 만날 일이라도 있어?"

"아니, 다음 페이지를 넘겨 봐."

군말 없이 따른 강민우는 순간 흠칫했다. 다음 페이지는 탑멘트의 조직도였다. 강민우는 다시 이전 페이지로 넘어갔다. 대진 철강의 사장 배혁조와 탑멘트 시설관리 1팀 팀장 배허준의 얼굴이 너무나도 닮았다.

"이건……?"

강민우가 최설을 보자, 최설은 어깨를 으쓱했다.

"그냥 알아두라고. 혹시 모르잖아."

"하지만 우리는 설비에 대한 품질 보증만 하면 되는 거잖아."

"나도 그랬으면 좋겠다. 그래도 할 일은 해야지. 안 그래?"

강민우는 최설의 말에 반박할 수 없었다. 근래 그의 머릿속을 지배하는 한 가지 생각 때문에라도 이 일을 좌시하고 넘어가긴 힘들었다.

"그래도 일단 우리의 신분은 외부인이니까. 회사 사정에 함부로 관여하진 말자고."

"그것도 그러네."

최설은 쉬이 납득하는 눈치였다. 두 사람은 편치 않은 마음을 가지고 공장에 방문했다. 두 사람은 장호준의 안내에 따라 현재 노후화된 설비를 돌아보고, 새로 들일 설비를 임시로 설치한 구역에 들러 공정 과정을 확인했다.

첫날은 시찰에 가깝고 본격적인 업무는 내일부터 시작될 예정이었다.

"……해서 되도록 계약일 안으로 보증을 완료해주시면 됩니다."

"아, 네. 알겠습니다. 소개하시느라 고생하셨습니다."

"네, 그럼 혹시 둘러보고 싶으시면 직원들 퇴근 시간까지 둘러보시고, 설비에 대해 궁금한 점 있으시다면 저기 시설관리팀을 불러 여쭈면 됩니다."

장호준은 공장 구석에 마련된 사무실을 가리키며 말했다. 사무실이라곤 했지만, 사무실이기보단 임시 휴식처에 가까운 모양새였다. 무엇보다 그곳에 있는 사람들은 창문 너머로 강민우와 최설을 뚫어지게 쳐다보고 있었는데, 이는 그들이 공장에 들어온 순간부터 끊이지 않았다.

"우리가 고까운 걸까?"

최설이 기분 나쁘다는 듯 강민우에게 속삭였다. 강민우는 적당히 고개를 주억거렸다.

"본래 이런 건 기업 내에서 자체적으로 실행하는 거잖아. 외부인인 우리를 쓴다는 것 자체가 고깝게 느껴질 수 있겠지."

그의 말이 틀리지 않았다. 탑멘트 정도 되는 중견기업이라면 시설관리팀에 사후기술처리기사가 한둘은 있는 게 정상이었다. 그리고 실제로도 최설이 보여줬던 조직도에는 시설관리 1팀 팀장이 사후기술처리기사이기도 했다.

그렇다면 멀쩡한 사후기술처리기사를 놔두고 왜 외부인인 두 사람을 끌어들였는가? 짐작뿐인 대답만 잔뜩 떠안은 최설은 한숨부터 내쉬었다.

"중견 기업도 알력 다툼이 있구나."

"대기업보다 더 심할걸."

"다닌 적도 없으면서."

"말이 그렇다는 거지. 오늘은 이만 가자. 내일은 좀 더 일찍 오자고."

두 사람은 서둘러 공장을 떠났다. 떠나기 직전에 강민우는 시설관리팀이 있는 곳을 돌아봤다. 조직도에서 봤던 배허준이 노골적인 적대감을 숨기지 않은 채 자기를 빤히 바라봤다. 강민우는 괜히 눈싸움하기 싫어 애써 시선을 무시한 채 최설과 함께 차를 타고 돌아갔다.

*

보증 과정은 크게 두 가지 측면에서 이뤄졌다. 제조 공정 검사와 설계 검사였다. 제조 공정 검사는 탑멘트에서 제작하는 소체 제작이 이전 제품과 비교했을 때 흠이 없는지, 누락된 부분이나 문제될 소지가 있진 않은지 검사하는 과정이고, 설계 검사는 설비를 역설계해 설계와 실제 조립 사이에 이상이 없는지 검증하는 과정이었다.

제조 공정 검사야 별다른 장비가 필요하지 않아 맨몸으로 가도 충분했지만, 역설계는 장비에 따라 검사의 정밀도가 달라지기 때문에 만반의 준비가 필요했다.

이튿날, 강민우와 최설은 트럭을 끌고 역설계 장비를 설치했고, 셋째 날부터 설계 검사를 시작했다. 계약된 일정으로는 조금 빡빡하다고 느낀 터라 두 사람은 근처에 숙박을 얻어서 빠른 거리로 출퇴근하기까지 했다. 특히 최설은 두 검사 외에 추가로 할 일이 있어 아침 출근이 필수였다.

순조롭게 검사를 거치던 도중 문제가 발생한 건 2주하고도 이틀이 지난 수요일이었다. 아침 일찍 공장에 나온 두 사람은 공장 입구에 몇 사람이 모여 피켓을 들고 시위하는 걸 발견했다.

"탑멘트 경영진은 외부 간섭을 차단하라! 차단하라!"

"회사 설비를 외부에 노출하지 말고 보호하라! 보호하라!"

"재직자를 차별하지 말고 공정 대우하라! 대우하라!"

누가 보더라도 정확하게 강민우와 최설을 꼬집은 시위였다. 아직 두 사람과 시위대 사이엔 거리가 있어 시위대가 그들을 알아보진 않았다. 하지만 이대로 갔다간 멀쩡히 공장에 들여보낼 것 같진 않았다.

"저게 뭐람."

두 사람이 자리를 피한 뒤 먼저 말을 꺼낸 건 최설이었다. 강민우는 골치가 아파진 탓에 머리를 긁었다.

"하, 이건 또 무슨……."

"시위까지 할 일인가? 파업할 기세인데? 이미 파업했나?"

"뚫고 들어갈까?"

강민우의 말에 최설은 진심이냐는 눈빛으로 대답했다. 최설은 다시 한번 시위대의 행색을 지켜보고는 말했다.

"저 사람들 하는 말이 영 틀린 건 아닌데……."

"아니, 틀리고 자시고 우리는 법적으로 문제없는 계약을 거쳐서 할 일을 하러 온 건데 왜 이런 일을 당해야 하냐고."

강민우는 진심으로 억울하다는 듯 말했다. 거기에 최설은 할 말이 달리 없었다.

"애초에 이 상황이 법으로 따질 문제는 아니잖아."

"그보다 이렇게 되면 보증을 못 하는데, 계약은 어떻게 되는 거야? 우리가 위약금 물어줘야 하나?"

강민우의 고민이 시작되기가 무섭게 장호준으로부터 전화가 왔다.

"강민우 씨! 괜찮으십니까?"

시작부터 다급한 목소리가 느닷없이 들리니 강민우는 장호준이 어지간히 충격을 받았겠거니 싶었다.

"아, 네. 시위대랑 충돌은 없습니다. 괜찮습니다."

"아, 그렇군요. 다행입니다. 후, 전주부터 회사에 탄원서가 올라오고 공장 분위기가 심상치 않았습니다만, 결국 이렇게 터지는군요."

이미 예견했다는 말투였다. 강민우는 미간을 짚었다. 부디 대책이랄지, 후속 조치랄 게 있길 바라는 심경으로 대답했다.

"그래서, 저희는 어쩌면 됩니까?"

"일단 시위 측과 협상해보고, 그 뒤에 말씀드리겠습니다. 지금은 잘……."

장호준은 말끝을 흐렸고, 강민우는 혀를 차고 싶은 충동

안주현

을 필사적으로 참았다. 결국 장호준의 죄송하단 말의 되풀이로 통하는 끝났다. 강민우의 표정 적나라한 표정 변화를 지켜보던 최설은 내용을 대강 짐작하곤 한숨을 내쉬었다.

"잘 안됐지?"

"시위대랑 협상해보고 말한단다. 잘 될 리가 없지."

강민우는 마침내 혀를 찼다. 화도 나고 짜증도 났지만, 그렇다고 억지로 시위대를 뚫고 공장에 들어간들 멀쩡히 일할 수 있을 리 없었다. 지금에 와서 걱정은 공장 안쪽에 설치한 역설계 장비들이었다.

일단 두 사람은 숙소로 돌아왔다. 공장 근처에 얼쩡거려 봤자 다리만 아프고 딱히 있을 곳도 없었다.

"장비 회수는 어떡하냐? 저놈들이 멀쩡하게 우리에게 넘겨줄까?"

"안 해주면 손괴죄로 고소해야지."

최설이 진지하게 말했지만, 강민우는 마뜩잖았다. 외부인으로서 이 일은 어처구니가 없는 건 물론이고, 찜찜한 구석도 남은 게 사실이었다. 무엇보다 장호준과 첫 만남에서의 대화가 머릿속에서 맴돌았다.

"혹시 말이야."

"응?"

"우리를 굳이 회사에서 부른 이유. 자유기술개발연대 때문이 아닐까?"

난데없는 언급에 최설은 당황했다.

"어? 뭐?"

"아니, 탑멘트랑 처음 자리 가졌을 때 그 얘기가 나왔거든."

강민우는 장호준과의 대화를 복기하며 그 내용을 전달했다. 최설은 진지하게 그 얘기를 듣고 생각하다가 고개를 끄덕였다.

"내가 전에 만난다던 개발자 기억해?"

"곽 뭐시기?"

"곽현서. 그 사람, 자유기술개발연대에 꽤 진심이었거든."

"얼마나?"

"우리가 전에 방범 장치 조사했던 거, 피해자 측에서 합동 고소를 날렸는데, 개발자는 오히려 자기가 피해자라고 주장하나 봐. 곽현서는 그 개발자를 지지하면서 오히려 우리를 나무라는 눈치더라고."

"……뭐?"

강민우는 자기가 똑바로 들은 게 맞는지 의심스러웠다. 은혜와 축복 빌딩의 방범 장치는 이미 명백한 피해가 입증된 상황이었다. 강민우와 최설이 한 일은 더는 사람들에게 피해가 가지 않도록 안전하게 철거 후 관련 자료를 건물주에게 넘긴 것이 다였다.

물론 법리적인 판단은 강민우가 알 리 없고 알고 싶지도 않았다. 그가 어이없어한 건 개발자보단 개발자를 두둔한 곽현서의 태도였다.

"자유기술개발연대는 단순히 기술 개발의 자유만 주장하는…… . 그런 게 아니야?"

"따지자면 자유로운 기술 개발을 위해서 보장되어야 할 것들이 있으니까. 걔네가 제일 싫어하는 직업이 뭔지 알아? 우리야. 사후기술처리기사."

"뭐? 왜?"

"남의 기술을 처리하니까. 본인이 개발하지도 않으면서 남의 기술을…… . 어휴, 됐다. 내가 왜 설명하고 앉았냐."

최설은 말하다가 자신이 한심해졌다. 그때 자신이 받았던 모욕은 강민우에게 말하지 않기로 했다. 모두가 있는 자리에서 공개적으로 저격당했다고, 쪽팔린 줄 알라는 곽현서의 언행에 도망치듯 자리를 나왔었다고 말하면 강민우가 가만히 있을 것 같지 않았다.

"설아. 일단 좀 쉬자. 어차피 일 못할 것 같은데, 위약금이랑 장비 관련만 어떻게 잘 끝내고 돌아가자."

강민우는 냅다 맨바닥에 드러누웠다. 소파와 방의 침대를 놔두고 시위하듯 드러누우니, 최설은 피식 웃음이 나왔다.

"우리 출근도 안 했어."

"어제까진 했잖아. 쉬자."

"그래, 쉬자. 당장 우리가 할 수 있는 것도 없고……."

*

그날 저녁, 강민우와 최설은 시설관리 1팀 팀장 배허준과 어디선가 튀어나온 곽현서와 자리를 가지게 됐다. 시위대가 요구한 건 단순한 계약 파기뿐만이 아니라 강민우와 최설의 업무방해 행위에 대한 사죄 요구였다.

"저희가 왜 사과해야 하는지 도통 알 수가 없습니다."

강민우가 상대측의 요구 사항을 전부 듣고 꺼낸 첫마디였다. 최설의 예상과 달리 그는 길길이 날뛰지 않았고, 도리어 더욱 침착하고 차분하게 말했다.

"젊어서 그런가? 정말이지 뻔뻔하기 그지없군요."

배허준이 혀를 차며 말했다. 강민우는 그와 나이 차이가 얼마나 되는지 몰랐지만, 적어도 겉늙은 걸로 봤을 때 족히 두 배 가까이는 되는 듯했다. 두 사람이 이제 30을 바라보는 젊은 나이임을 감안하면 더욱 그럴듯했다.

"그쪽 때문에 우리가 할 일을 빼앗겼습니다. 우리가 일하고 싶어도 그쪽의 방해로 일을 못했는데, 이게 정당한 노동

안주현

권 침해가 아니고 뭡니까?"

"회사에게 따질 일을 왜 우리에게 따집니까."

"그야 회사는 당신들에게 설비 검사하라고 했지, 우리가 일하는 걸 방해하라고 하지 않았으니까요."

배허준은 진심이었다. 강민우는 거기서 할 말을 잃고 말았다. 최설이라고 다르진 않았다. 다만 속에서 끓는 게 없는 건 아니었다.

머리로는 귀찮게 고소당하고 법적 분쟁으로 이어질 바에 머리 숙여 사죄하고 계약을 정리한 후 장비를 챙겨 돌아가는 게 합리적이고 몸과 마음이 편한 일임을 알았다.

하지만 그렇게 일을 끝내기엔 곽현서가 이곳에 온 게 마음에 걸렸다. 이번 계약과 전혀 관련 없는 그가 왜 이곳에 자리했단 말인가?

"저기, 조금 다른 소리라 죄송하지만, 곽현서 씨는 왜 여기에 계신 거죠?"

최설이 조심스럽게 손을 들어 물었다. 곽현서는 특유의 젠체하는 표정으로 최설을 바라보며 답했다.

"그야 당연히 자유기술개발연대의 일원으로 부탁받아 나왔습니다. 그리고 당신들은 개발자를 탄압하는데 일가견이 있는 사람들이니, 저 같은 전문가가 나서서 보호해줘야 싸움이 맞지 않겠습니까?"

최설은 반사적으로 강민우를 쳐다봤다. 입술은 굳게 닫혔고 어금니 쪽에 힘줄이 돋았다. 시선을 조금만 내리니 탁자 밑으로 숨긴 주먹이 부르르 떨리는 게 보였다. 자기도 다르지 않았다. 당장 마음 같아선 뺨이라도 후려치고 나오고 싶었다.

"당신들은 일전에도 개발자 하나를 가해자로 둔갑시켰습니다. 그 사람은 지금 재판에 들어가면서 정신질환을 앓게 됐어요. 하지만 그걸로 당신들을 고소했다간 어떤 해코지를 당할지 몰라……."

"누가 해코지한단 겁니까!"

강민우가 참다못해 외쳤다. 곽현서는 잠깐 움찔하다가 도리어 역정을 냈다.

"소리 지르지 마시죠. 지금 화내야 할 사람은 당신이 아닙니다!"

"그야 그렇겠지. 진짜로 화내야 할 사람은 그 건물에 출근하는 사람들이야! 귀를 다친 사람들 말이야!"

강민우는 아랑곳하지 않고 외쳤다. 최설이 급하게 그를 뜯어말렸지만 그는 듣지 않았다. 곽현서도 덩달아 자리에서 일어나 강민우를 향해 삿대질했다.

"그게 왜 개발자 한 사람이 책임져야 하는 겁니까? 건물주 같은 기득권은 내버려 두고 왜 약자인 개발자만 겨냥합니까?"

"당연히 책임져야지! 애초에 그런 책임이잖아! 우리가 이곳 설비를 책임지고 보증하듯이, 그 자식도 그 건물에 출입하는 모든 사람을 생각했어야지! 왜 나 몰라라 하는 건데? 사람들이 다쳤잖아!"

"당신들은 이곳을 책임질 이유도 필요도 없는데 무슨 책임을 진단 겁니까!"

강민우 말에 이번엔 배허준이 발끈해서 외쳤다. 그 역시 최설과 강민우를 향해 삿대질을 번갈아 했다. 거기에 최설도 결국 참지 않고 폭발하고 말았다.

"멀쩡한 기계를 개판으로 관리해서 친인척 회사에게 일감 넘긴 주제에 책임을 운운해요? 당신 같은 사람들이 자유기술개발연대니 뭐니 떠드니까 회사가 노동자를 못 믿고 우리에게 맡긴 거잖아! 처음부터 잘하던가!"

"그, 그게 무슨 소리! 이, 이제는 허위사실까지 유포하네? 책임질 수 있어?"

배허준이 눈에 띄게 당황해 말을 더듬자, 최설은 이를 까득 갈고 강민우의 어깨를 잡아당겼다. 강민우는 최설의 뜻대로 언성을 높이던 걸 멈췄다.

"책임은 법정에서 지도록 하죠. 저희는 당신들에게 사과할 생각 없습니다. 그럼 이만."

최설은 간단하게 묵례했고, 강민우도 최설의 뜻을 알고 그들에게 묵례한 뒤 자리를 떠났다.

"이봐! 이봐! 야!"

곽현서와 배허준이 급하게 두 사람을 불렀지만, 둘 중 누구도 먼저 나서서 두 사람을 붙잡지 않았다. 그럴 마음이 없었던 건지, 아니면 그럴 수 없었던 건지 알 수 없는 노릇이었다.

*

될 대로 되란 식으로 두 사람은 지내던 숙소에서 체크아웃하고 차를 타고 떠났다. 늦은 밤길은 가로등조차 제 주변을 비추는 게 고작이었다. 커피 한 잔 마시지 않았음에도 두 사람은 두 눈을 멀뚱멀뚱 뜬 채 한마디 말도 없이 주행했다.

"휴게소 들를까."

침묵을 깬 첫마디는 강민우였다. 최설은 2km 남은 천안휴게소를 슬쩍 보고는 고개를 끄덕였다.

"……그러자. 너 피곤할 텐데 조금 자. 다음에 내가 운전할게."

"얼마 안 남았는데 뭘."

안주현

새벽 3시가 넘은 휴게소엔 차도 없었고, 건물의 불빛도 화장실을 제외하면 없었다. 화장실에 잠깐 다녀온 두 사람은 등받이를 뒤로 넘긴 채 잠시 누웠다.

"무턱대고 돌아가긴 하는데, 장비는 진짜 어쩌지?"

최설의 말에 강민우는 뭐가 웃기는지 큭큭 웃었다. 최설은 눈은 안 뜨고 고개만 강민우를 향해 돌린 채 말했다.

"나 진지해."

"아니, 그냥. 어이가 없어서. 이 상황에도 우리는 우리가 져야 할 책임을 생각하는데 말이야. 그쪽은 전혀 그럴 것 같지 않거든."

강민우의 말에 최설은 그만 웃고 말았다. 그가 웃은 까닭을 심히 공감했다.

"정말 피곤하네."

최설이 말했다. 강민우는 고개를 끄덕이려고 했지만, 목을 움직이기엔 너무 무겁게 느껴져서 말로 대신했다.

"그러게. 어쩌다 세상이 이렇게 된 걸까."

"이게 세상의 책임일까?"

최설의 물음에 강민우는 질렸다는 듯 말했다.

"그런 얘기엔 관심 없어."

"먼저 한탄해놓고선."

최설이 뾰로통해져서 답하니, 강민우는 피식 웃었다가 한

돌멩이가 떨어진 자리

숨을 내쉬었다.

"그냥…… 꺼낸 얘기지. 세상이라고 해봤자 결국 사람들이 모인 곳이잖아."

"그렇지."

"그런 사람들이 각자 선택하고, 그 선택에 서로에게 영향을 끼치고……."

"그 영향은 때때로 각자가 상상했던 것과 다르겠지. 생각보다 미미할 수도, 더 클 수도 있겠고."

강민우의 말을 최설이 받았다. 강민우는 부정하지 않았다. 그는 다시 최설의 말을 받았다.

"중요한 건 거기에 책임을 지는 거야. 자기가 하는 일이 뭔지 똑바로 알고, 그 결과가 어떠하든 있는 힘껏 책임을 져야 하는 거야."

"그런데 사람들이 그러질 않네."

최설은 슬픈 듯 말했다. 정적이 잠시 깔렸다. 최설은 강민우가 잠들었나 싶어서 눈을 떴다. 강민우는 자고 있지 않았다. 뜬 눈으로 자동차 천장을 하염없이 바라볼 뿐이었다.

"돌아갈까."

강민우가 침묵을 깼다.

"어디로?"

"공장으로. 역시 장비를 회수해서 가든, 나중에 회수할 수 있게 치워두든, 그쪽이 건드리지 않게 하든 조치는 해둬야 지."

"여기까지 와놓고?"

다른 어떤 의도가 섞이지 않은, 강민우의 의사가 궁금해서 물은 질문이었다. 강민우는 그제야 고개를 돌려 최설과 눈을 마주했다.

"우리 장비니까."

"하긴. 우리 장비지. 비싼 장비기도 하고."

최설은 싱긋 웃었다. 그의 말이 맞았다. 역설계 장비는 그들의 장비였다. 그대로 놔두고 가버리면 그건 도망치는 것이었다. 감정에 휩쓸려 여기까지 왔지만, 아직 돌아갈 수 있었다. 강민우는 돌아가기로 했다.

책임을 지기 위해.

"아, 그 양반들 다시 볼 생각하니까 머리가 아픈데."

최설이 이마를 짚으며 말했다. 강민우는 피식 웃으며 말했다.

"너무 걱정하지 마. 어떻게든 되겠지."

다시 등받이를 당기고 차는 출발했다. 출발하는 길은 더욱 어두웠다. 일출 직전의 도로는 지독하게 어두웠다. 헤드라이트의 빛은 멀리 닿지 못해 한 치 앞만 간신히 비출 따름이라 속도를 높일 수 없었다.

하지만 두 사람은 재촉하지 않았다.

다시 진천군의 공장에 들렀을 때, 하늘은 어느덧 밝아졌다. 해가 뜨기 시작한 것이었다. 두 사람은 차에서 내렸다. 새벽 공기는 여전히 차가웠다. 아침이 오기 전 새벽은 누구에게나 힘들지만, 두 사람에게 이번 새벽은 특히나 더 힘들었다. 잠을 똑바로 자지 못했다.

하지만 미룰 수 없는 책임이, 마땅히 져야 할 책임이 그들을 움직였다.

*

"엇, 당신들은……."

새벽의 첫 출근자가 두 사람을 알아봤다. 두 사람도 알아봤다. 장호준이었다. 강민우와 최설이 자초지종 사정을 설명하니, 장호준은 고개를 끄덕이며 공장 문을 열어줬다.

"일이 이렇게 돼서 유감입니다."

역설계 장비를 분해해서 트럭에 싣는 두 사람에게 커피를 내려주며 장호준이 말했다. 강민우와 최설은 단비 같은 커피를 거절하지 않았다.

"회사 문제로 계약이 어그러졌으니, 이쪽에서 책임지고 배상하겠습니다."

"······네, 감사합니다. 그리고 제조 공정 검사는 이상이 없었어요. 역설계는 무어라 확답드리기 어렵지만, 시설관리만 똑바로 한다면 문제는 없을 거예요."

최설은 장호준에게 그동안 검사한 데이터를 넘겼다. 장호준은 연신 허리를 굽히며 사죄했고, 두 사람은 그를 애써 말리며 다시 차로 돌아갔다.

"되게 일찍 출근하셨네. 오면서 공장엔 어떻게 들어가나 싶었는데."

운전석에 앉자마자 최설이 말했다. 강민우는 조수석에 앉아 안전띠를 매고 눈을 감았다.

"저 사람도 책임을 지려던 거겠지."

"정작 책임져야 할 사람들은······."

"됐어. 이젠 정말로 내부 사정이잖아. 미련이 남긴 해도, 여기서 더 개입하면 그놈들 원하는 대로 외부인이 내부 사정에 개입하는 꼴이니까."

강민우가 최설의 말을 끊고 말했다. 최설은 입을 열었지만, 결국 그의 말에 수긍했다.

해가 뜨고, 구름 없는 푸른 하늘이 떴다. 피곤하고 지치는 아침이었다. 하지만 후회 없는 당당한 아침이었다.

작가노트

　새벽은 언제 어느 때나 힘든 시간입니다. 누구도 새벽에 밤을 지새워가며 일하거나, 혹은 새벽 아침 일찍 일어나 일하고 싶어 하진 않으리라 생각합니다.

　하지만 모두가 새벽에 일어나지 않으면 간밤에 내린 눈은 누가 치워줄 것이며, 간밤에 발생한 환자는 누가 보살피고, 급히 발생한 문제를 누가 해결해줄 수 있을까요?

　누구에게나 힘든 시간이지만, 분명 새벽이란 시간은 우리에게 있어서 필요한 시간입니다. 때때로 그 새벽이란 시간은 우리 자신, 그 한 사람만의 삶을 결정하지 않습니다. 더 많은 사람의 인생이 어느 새벽 한순간에 달렸을 수 있습니다.

　　　　　　　　　　　　　　　　　　안주현

돌멩이가 떨어진 자리는 바로 그런 소설입니다. 누군가는 새벽에도 일해야 하고, 그래야 하는 이유는 '책임' 때문입니다. 누군가는 해야 합니다. 누군가는 그래야 합니다. 그뿐만 아니라 자신이 선택한 일에 대해서도 마땅하게 책임을 져야 합니다.

그것은 때로 부당하게 다가올 수 있을지 모르겠습니다. 내가 선택한 것에 비해 책임이 막중하게, 부담스럽게 다가올 수 있습니다.

하지만 책임을 지지 않으면 안 됩니다. 책임지지 않은 책임은 더 많은 이에게 돌아가기 때문입니다. 우리 사회가 작동하는 원리란 그런 것입니다. 선택에 대한 책임을 짐으로써 우리는 우리 자신을 더욱 존중하고, 존중받을 수 있게 됩니다.

저 또한 제 선택에 대한 책임을 실감하는 중입니다. 그러나 저는 그 책임을 마땅히 지려고 노력하기에, 저는 진정으로 자유롭다고 말하겠습니다.

아침 햇살 속에서

[아침이 오기 전 새벽은 누구에게나 힘들다]라는 문구, 들어본 적 있어?

'또 이 꿈인가…….'

명훈은 요즘 들어 잠자리에만 들면 항상 같은 꿈을 꾸게 됐다. 언덕 위에 어떤 사람과 앉아 아무것도 없는 컴컴한 밤하늘을 같이 올려다보는 꿈.

꿈속에서 명훈은 항상 어떤 사람과 같이 이야기하고 있지만, 뭐라 말하는지는 잘 들리지 않는다. 유일하게 들리는 말이라곤 [아침이 오기 전 새벽은 누구에게나 힘들다.]라는 문구를 들어본 적 있냐고 묻는 말뿐이었다.

'이 꿈은 잊으면 안 되는 기억 중 하나인 것 같은데

김연유

......'

쾅쾅쾅

그렇게 되뇔 때, 멀리서 희미하게 어떤 소리가 들렸다.

'이 소리는 뭐지? 지금까지 꿈을 꾸면서 이런 적은 없었는데.'

쾅쾅쾅!

다시 한번 큰 소리가 들린 그 순간, 명훈은 잠에서 깨어났다. 명훈은 잠자리에서 일어나 주변을 둘러보았다. 발 디딜 곳이 없을 정도로 온갖 쓰레기들과 잡동사니가 널린 바닥, 본체에 먼지가 쌓인 컴퓨터, 간단 식품을 먹고 남은 포장지와 캔, 그릇 등이 씻겨지지 않은 상태로 넣어진 싱크대. 모든 게 평소의 아지트랑 같았다. 숨겨진 아지트의 출입문 쪽에서 계속 소리가 들리는 것을 빼면 말이다.

"저기, 아무도 없나요?"

들어본 적 없는 사람의 목소리가 들린 순간, 명훈은 호신용 전기충격기를 들고 조심스레 문 쪽으로 다가갔다.

"아, 이거 문이 잠겨있진 않네? 음……. 그럼 실례지만, 들어갈게요!"

그 순간, 문이 벌컥, 하고 열리며 한 사람이 들어왔다. 명훈은 그 순간을 놓치지 않고 문 앞으로 나오는 사람의 실루엣에 냅다 전기충격기를 가져다 댔다.

아침 햇살 속에서

51

퍽!

충격기가 사람의 실루엣에 닿으려는 순간, 명훈의 손에 있던 전기충격기가 떨어져 나가 바닥으로 데구르르 굴러갔다.

"와, 큰일 날 뻔했네! 다짜고짜 전기충격기를 사람에게 가져다 대면 어떻게 해요? 정말 위험하다고요. 뭐, 이 망토는 절연 망토라 진짜 맞아도 괜찮았겠지만."

망토의 모자가 벗겨지고 나온 얼굴은 아직 앳된 모습의 소녀였다. 명훈은 당황스러웠다. 아직 어려 보이는 소녀가 이 정도의 반사신경과 신체 능력이 있다고?

"너, 정체가 뭐냐? 그리고 어떻게 숨겨진 이 은신처를 알아낸 거지?"

"바로 본론으로 들어가시는 건가요? 음, 딱히 비밀도 아니지만, 그렇게 서두를 건 없는데. 앉아서 차 한잔하면서 천천히 이야기하는 건……."

"아니, 그럴 틈은 없어. 빨리 말하기나 해."

소녀가 한숨을 쉬었다. 잠시 후, 주머니에서 작은 배지를 꺼내 보여주면서 다시 입을 열었다.

"이 배지, 아시죠? 저는 새벽 결사대의 일원이에요. 옛 결사대였던 아저씨의 해킹 실력이 조금 필요해서 여기에 파견됐죠."

김연유

'새벽결사대라고?'

명훈은 소녀의 손에 있던 물건을 보았다. 배지에는 바다 위에 동그라미 모양의 물체가 떠 있는 문양이 그려져 있었다. 태양의 모습은 이럴 것이라고 상상으로 그린 결사대의 심볼이 맞았다.

"새벽결사대라면 내가 알고 있는 그 새벽결사대인가? 그건 말도 안 돼. 새벽결사대는 5년 전에 해산됐다! 리더와 수많은 일원이 죽고, 은신처는 불타 없어졌어……."

"아, 그런 일이 있었다고 듣긴 했어요. 하지만 새벽결사대의 일원 중 일부는 살아서 도망치는 데에 성공했잖아요. 아저씨처럼 말이죠. 도망친 사람들끼리 다시 모여서 새벽결사대는 계속 유지됐어요. 저는 그 후 새롭게 들어온 일원 중 한 명이고요."

명훈은 충격에 잠긴 모습으로 자리에 주저앉았다.

"새벽결사대가 그때 이후로도 계속 유지되고 있었다고……?"

"설마 아저씨, 지금까지 모르고 있었던 거예요?"

"나는 내 친구가 죽고 나서 새벽결사대는 끝이라고 생각했다. 지금까지 유지되고 있을 줄은…… 정말 생각지도 못했군."

20년 전에는, 하늘에 아침과 새벽, 태양과 달, 별이 있었다고 했다. 하지만 어느 날 외계 로봇들이 침공했고, 명훈의 국가는 순식간에 점령당해 버렸다. 그들의 목적은 자신들이 만든 병기인 '결계'를 시험해보는 것이었고 '결계'가 설치된 순간, 하늘에서 빛이란 빛은 전부 사라지고 끝없는 어둠만이 지속됐다.

새벽결사대. 그들은 진짜 하늘을 되찾고 국가의 독립을 되찾기 위해 모인 비밀결사대였다. 그러나 5년 전에 은신처가 발각되고 결사대는 괴멸됐으며, 그 과정에서 결사대의 리더였던 친구는 돌아오지 못했다. 그래서 명훈은 모든 게 끝났다고 생각했었다.

"아마 결사대에 다시 들어오라고 회유하는 게 너의 임무겠지. 하지만 지금의 나는……. 그저 친구의 죽음에 충격받고 친구의 이름도 기억하지 못한 채 도망치기만 하는 아무 도움도 안 되는 겁쟁이일 뿐이야. 그러니 이만 돌아가라."

"자, 잠깐만요! 그게 무슨 소리예요?"

소녀의 입이 떡 벌어졌다가 다시 혀를 굴렸다.

"진짜 아저씨 아무것도 모르는구나……. 지금까지 얼마나 세상과 담을 쌓고 지낸 거예요? 독립은 이미 1년 전에 성공해서 아저씨가 결사단에 다시 들어오지 않아도 괜찮아요."

"뭐라고?"

"독립은 성공했지만 이제 문제가 되는 건, 아침을 되찾아야 하는데 그 자식들이 결계발생장치를 해제하고 간 게 아니라는 거죠. 그래서 계속 어두컴컴한 상태라 장치를 멈출 방법을 찾고 있는 거예요. 그래서 아저씨가 필요한 거고요. 예전에 적들의 보안 시스템에 접근한 적이 있었잖아요. 그렇죠?"

"……."

친구에 대한 기억은 점점 희미해져서 잘 기억이 나지 않았다. 친구에 대해 떠올리는 것조차 고통스러웠기에 은신처에 박혀 살게 된 이후로는 기억을 잊으려고 했다. 이름, 목소리, 모습, 함께 했던 기억, 모든 것이 희미했다. 남아 있는 기억이라곤 습격 때 적들은 상상했던 것보다 더 압도적이었으며, 결사대가 발각되고 친구가 그때 개죽음을 당했다는 것뿐. 친구의 마지막 모습도 잘 기억이 나지 않았다. 그런데 독립에 성공했다고? 명훈은 납득할 수 없었다. 남은 결사대 일원들은 어째서 끝까지 싸울 수 있었던 걸까.

"너는 왜 결사대에 들어갔지? 어떻게 희망을 품고 살아온 거지?"

"네?"

"나는 그때 결사대는 끝이라고 생각했다. 어째서 그런 일을 겪고도 아직도 포기하지 않고 버텨온 거지?"

"음……."

소녀는 잠시 고민하더니 입을 열었다.

"[아침이 오기 전 새벽은 누구에게나 힘들다] 이 말 들어본 적 있어요?"

'꿈에서 매번 나오는 그 문장…….'

"이건 지금 새벽결사대에서 서로를 알아볼 때 쓰는 암구호예요, 지금 당장은 희망이 없는 절망적인 상황일지라도, 언젠가는 희망이 온다는 의미이죠. 전 리더가 좋아하던 문장이라고 들었는데, 들어본 적 있지 않아요?"

"들어본 적 없다."

명훈은 짐짓 모르는 체했다. 그러나 소녀는 아랑곳않고 할 말을 이었다.

"희망이라는 건 참 신기하지 않나요? 분명 없어진 줄 알았는데, 계속해서 다시 보이는 것 같고, 다시 믿고 싶어지잖아요. 이 결사대에 있는 사람들은 하나의 사명을 가지고 일원으로 모였죠, 독립하고 아침을 되찾겠다는 사명. 물론 결사대의 은신처가 습격당하는 일이 일어났을 때는 현재 리더가 많이 힘들었다고 들었어요. 그렇지만 희망이 있으니까. 전 리더가 죽었다고 해서 그 사명과 정신까진 사라지는 게 아니잖아요."

김연유

소녀는 말을 마치고 명훈을 다시 쳐다봤다. 명훈은 다른 생각에 빠진 듯한 얼굴이었다.

*

"한희원."

"왜?"

명훈이 부르자 남자가 고개를 돌렸다. 오래전 잃어버린 친구의 얼굴이었다. 흐릿하게만 기억났었는데 이젠 선명하게 보였다. 아무것도 보이지 않는 컴컴한 하늘, 언덕 위에서 대화하고 있는 자신과 친구. 하지만 그때와는 다르게 모든 게 선명하게 보이고, 들렸다.

"아니, 별건 아니다. 단지 궁금한 게 있어서. 너는 언제나 네 목숨은 뒷전인 것 같았다. 마치 결사대에 들어오기 전의 나처럼. 하지만 너는 나랑 다르게 삶의 뚜렷한 목표랄지, 사명이 있었다. 아침을 되찾고 독립한다는 것 말이다. 하지만 목표가 이뤄진 세상에 너는 존재하지 않는다면 그게 무슨 의미가 있지?"

"음, 이걸 뭐라고 설명해야 할까……. 나는 의미가 없다고 생각하지 않아. 내가 죽어도 내 정신은 살아있을 거라고 믿거든."

"정신? 사후세계라도 믿는 건가?"

"그런 게 아니야."

그는 아무것도 보일 리가 없는 새카만 하늘을 올려다보며 말을 이었다.

"있잖아, [아침이 오기 전 새벽은 누구에게나 힘들다] 라는 문구, 들어본 적 있어?"

"아니, 처음 들어보는군, 무슨 의미지?"

"먼 옛날, 어떤 나라에서 있던 문장이래, 그 나라는 동이 틀 기미도 안 보이던 깜깜한 어둠이 있던 시간도 새벽이라고 불렀대. 신기하지 않아?"

"확실히……. 신기하군. 동이 트기 직전의 시간을 새벽이라고 부르는 걸로만 알았는데."

"그렇지? 나도 왜 그랬을까 하고 생각해봤는데. 아침이 가고 다시 밤이 찾아와도 태양은 언제나 다시 떠오른다……. 그 사람들에겐 이게 당연한 일상이었겠지. 그러니까 동이 트는 낌새가 보이지 않는 어둠 속 시간도 새벽이라고 부를 수 있던 거고. 그래서 나는 지금 우리의 이 순간도 새벽이라고 생각했어. 우리의 상황도 어두운 어둠밖에 없는 밤이고 힘든 시기지만, 곧 해가 뜨고 아침이 오게 할 테니까. 희망을 잃지 않을 거라고."

그는 명훈을 똑바로 마주했다. 흔들림이 없는, 올곧은 눈빛이었다.

"이런 마음으로 난 나와 비슷한 생각을 가진 사람을 모았고, 그게 새벽 결사대의 시작이었지. 나는 그 사람들에게도 나와 같은 정신이 있다고 생각해. 우리는 모두 한 목적을 위해 모였으니까. 만약 결사대 중 한 사람이 세상을 떠나도……. 그 사람의 정신은 우리 마음속에 계속 남아있는 거야. 희망이 사라지지 않는 것처럼. 사람의 정신도 사라지지 않고 계속해서 이어지는 거니까."

"이어지는 정신이라. 그럼 나는 정신이 이어지지 않겠군."

"왜 그렇게 생각해? 너도 결사대의 일원인걸."

"나는 처음 들어올 땐 아침을 되찾아야 하는 사명이라느니 독립이니 그런 거에는 관심이 없었다는 거 알고 있을 텐데. 난 삶에 목적이 없는 상태였고 돈도 해킹으로 충분히 벌 능력이 있었으니 그냥 내 마음대로 재미있게 살다가 세상을 떠날 생각을 하고 있었으니까. 그걸 알고도 넌 내 은신처에 찾아와 결사대 합류를 제안했고."

"확실히 그땐 그랬지, 우리에겐 해커가 꼭 필요했고, 너는 음지에서 유명한 해커였으니까. 그냥 모험해본 거였어. 너는 그때 사람이 만든 기계랑 전혀 다른 구조의 기계를 해킹하는 건 재밌을 것 같다고 수락했잖아. 지금 생각해보면 정말 미쳤다고 생각했는데. 하지만 지금도 그때랑 같은 생각이야?"

그의 질문에 명훈은 곧장 대답하지 못했다.

"나는 네가 결사대에 온 처음과 지금의 모습은 다르다고 생각하는데 말이지."

맞는 말이었다. 사실 명훈은 새벽결사대에서 계속 지내면서 자신의 목숨보다도 더 중요한 삶의 목적이 있는 결사대의 다른 사람들과 희원이 조금 부럽기도 했다. 자신도 그렇게 살 수 있을까, 하는 마음도 품었을 정도로.

*

'이렇게 중요한 기억을 잊어버리고 있었다니…….'

그동안 외면했던 기억들이 조금씩 보이기 시작했다. 기억들은 사라진 게 아니었다. 단지 도망치면서 외면해버렸고. 덮으려고 했기에 보이지 않았을 뿐이었다.

'잊으면 안 되는 기억이었는데.'

명훈은 잊어선 안 될 기억을 잊고 지낸 것에 가슴 아파했다.

'그때는 몰랐지만 이제는 알 것 같다. 친구가 말한 정신이 뭐였는지를.'

김연유

"아저씨? 아저씨? 제 말 듣고 있어요? 대화하는데 갑자기 멍때리시면 어떡해요?"

소녀는 난데없이 침묵하더니 눈물까지 흘리는 명훈을 보며 적잖이 당황했다.

"아저씨, 설마 지금 우는 거예요?"

"뭐?"

명훈은 손을 얼굴에 가져다 댔다. 자신도 모르게 눈물이 흘러내리고 있었다.

"미안하군, 방금 건 아무것도 아니다. 잠시 기억을 떠올리느라……."

급히 눈물을 닦으며 말하자 소녀는 싱긋 웃었다. 목소리에서부터 그 내면의 변화를 느낄 수 있었다.

"그런가요. 아까 이야기 못 들으신 것 같으니 다시 한번 말씀드릴게요. 해킹도구, 만들어주실 거예요, 안 만들어주실 거예요? 아저씨가 안 된다고 하면 저는 바로 결사대로 돌아갈 거거든요."

"만들어주마."

"예, 아쉽지만……. 네? 진짜요?"

"그래, 다만 내가 쓰던 건 몇 년간 너무 방치해서 수리를 좀 해야 한다. 며칠 정도 걸릴 거야."

명훈의 화답에 소녀는 기쁜 마음을 주체하지 못하며 큰

목소리로 말했다.

"그건 괜찮아요. 당연히 기다릴 수 있어요!"

*

그로부터 며칠이 흘렀다.

"이게 결계발생장치에도 통할지는 모르겠군."

명훈은 수리가 끝난 해킹장치를 마지막으로 둘러보다가 소녀에게 넘겨줬다.

"에이, 걱정하지 마세요! 분명 괜찮을 거예요. 전 리더의 안목을 믿어요! 그럼 제 임무는 완수했으니, 이만 돌아가야 겠네요."

"바로 돌아가는 건가?"

약간 아쉬운 마음에 명훈이 묻자, 소녀는 쓴웃음을 지으며 말했다.

"네, 결사대 일원들이 기다리고 있으니까요."

해킹도구를 챙기고 이젠 정말 떠날 준비를 마친 소녀는 한 번 더 명훈을 보더니 입을 열었다.

"혹시 이 도구, 직접 전해줄 생각 있어요? 결사대에 반가운 얼굴들이 있을 거예요. 그 사람들도 아저씨 안부를 물어보시더라고요. 그래도 직접 전하는 게 좋지 않겠어요?"

김연유

명훈은 잠시 침묵했다. 아마 옛날부터 있었던 결사대의 일원들은 도망친 자신을 계속해서 기다렸을 것이다. 무책임하게 도망간 자신을 원망할 수도 있었을 텐데. 그들은 그러지 않았다. 단지 자신이 스스로 다시 돌아올 수 있을 때까지 묵묵히 자기 자리에서 할 일을 하고 있었을 뿐이었다.

'결사대가 날 찾은 이유가 해킹도구가 필요한 거였다는 건 핑계였겠지.'

그때 이후로 시간이 오래 지났으니, 명훈 말고도 해킹이 가능한 다른 해커를 구할 수 있었을 것이었다. 그들의 마음으로는 명훈이 이제는 밖으로 나오길 원해서 소녀를 파견했을 게 분명했다.

명훈은 마침내 입을 열었다.

"미안하다. 아직은 같이 가기 힘들 것 같군. 떠날 준비가 되지 않아서."

소녀는 아쉬운 마음을 감추지 못했으나, 이내 이해한다는 듯이 고개를 끄덕이며 주인공을 바라보았다.

"어쩔 수 없네요, 그럼 이건 제가 전해주는 걸로 할게요. 하지만, 언젠가는 나와서 만나주실 거죠?"

"그래."

"그럼 됐어요. 약속한 거니까, 꼭 지켜야 해요? 그럼 전

이만 가볼게요. 다음에 또 만나요."

소녀는 나가기 직전 마지막으로 환한 미소를 지었다. 그리고 아지트 밖으로 나가 발걸음을 옮겼고, 곧 그녀의 모습은 점점 희미해져 갔다.

*

소녀가 떠나고 꽤 시간이 지난 후, 명훈은 밖으로 나가는 문 앞에 서 있었다. 망토를 뒤집어쓴 그의 모습은 이전의 지저분한 모습과는 달리 긴 머리가 짧게 다듬어져 있었고 면도도 되어있는 단정한 모습이었다. 은신처에 그동안 방치했던 지저분한 쓰레기들과 자질구레한 물건들은 한곳에 모여 깔끔하게 정리되어 있었다.

명훈은 마지막으로 은신처를 둘러보았다. 결사대에 들어가기 전부터 쓰였었고, 살기 위해 다시 찾아 살게 되는 등 우여곡절의 역사가 이곳에 새겨졌다. 하지만 이젠 이별의 시간이었다. 앞으로 나아갈 때가 온 것이다.

"후……."

명훈은 심호흡을 하며 문에 손을 대고 밀었다. 문이 열렸다.

열린 문 틈새로 지금까진 느낄 수 없었던 희미한 주황색의 빛이 문틈으로 들어오고 있었다. 명훈은 밖으로 나와 은신처 옆에 있는 절벽을 향해 천천히 걸었다. 그러다가 점점 속도를 높이더니 곧 달렸다. 주위가 점점 밝아지고 있었다.

명훈이 절벽의 끝에 멈춰선 순간, 주홍빛의 하늘 위로 붉은 물체가 보였다. 물체에선 눈 부신 빛이 끝없이 뿜어져 나와 주위를 비춰주고 있었다. 태양이었다. 태양이 떠오르고 있었다. 그토록 바라고 기다리던 아침이 온 것이다. 명훈의 눈에 눈물이 고이기 시작했다.

태양은 점점 더 떠올라, 이젠 맨눈으로 바라보기 힘들 정도로 눈 부신 빛이 되어 하늘 위에 자리를 잡았다. 고개를 숙인 명훈의 눈가에서 눈물이 흘러나왔다. 마치 눈물을 닦아주듯 부드러운 햇살이 명훈을 비춰주고 있었다.

작가노트

[아침 햇살 속에서]는 절망에 빠져 과거에 머물러 있는 사람이 다시 희망을 찾아 앞으로 나아가는 이야기를 쓰고 싶다는 생각에서 만들어진 이야기입니다. 여기에 주인공이 느끼는 절망이 소중한 사람을 잃은 절망이면 어떨까? 라는 생각이 더해져 단편의 큰 틀이 잡혔습니다.

첫 문장을 처음 봤을 때는 이 문장이 제 단편의 주요 소재가 되었으면 좋겠다고 생각해 문장의 의미를 정하는 데 많은 시간을 쏟았습니다. 특히 의미에 대해서 고민을 많이 한 단어는 새벽이었습니다. 아침은 희망을 상징하는 것으로 쉽게 정할 수 있었고, 밤은 자연스럽게 절망의 상징이 되었습니다. 그 중간 지점인 새벽은 어떤 식으로 표현하면 좋을까? 하고 고민하던 도중, 일상생활에서 어두컴컴한 자정을 넘긴 시간대부터 주위가 밝아지면서 해가 뜨려고 하는 시간대까지도 새벽이라고 부른다는 것이 떠올랐습니다. 여기까지 생각이 닿으니 첫 문장의 의미를 확실하게 정할 수 있었습니다.

단편에 대해선 한정적인 시간 속에 너무 많은 것을 집어넣으려고 한 것 같아 전체적인 완성도나 묘사가 아쉬움이 많이 남았습니다. 이런 부족한 글을 읽어주신 여러분, 정말 감사합니다. 여러분의 삶에 절망이 찾아와도 다시 희망을 가지는 삶이 되길 바랍니다.

원숭이 팔

아침이 오기 전 새벽은 누구에게나 힘들다.

창문 너머로 스며 들어오는 아침 햇빛에 눈을 떴다. 아침은 참 지겹게도 찾아온다. 이 낙후된 아파트에도 예외는 없다. 겨울 아침 햇빛이 아파트의 시멘트를 강하게 때리면, 그제야 이 아파트에도 아침이 오는 것이다. 아파트의 주민인 나에게도 마찬가지다. 방안을 가득 채운 아침 햇빛을 애써 무시하며, 쌀쌀한 겨울 공기를 피해 낡은 이불을 머리끝까지 올려봐도 이미 아침이 왔다는 것을 부정할 순 없다. 이제 또다시 무거운 몸을 일으켜 고난으로 밀어 넣을 시간이 된 것이다.

어젯밤은 유난히 통증이 심했다. 매일 밤 통증에 시달리

강중현

는 것은 익숙한 일이 되었지만, 그렇다고 괴롭지 않은 것은 아니었다. 언젠가 이 고통이 익숙해질까. 이 불친절한 고통을 애써 무시하며 침대를 벗어났다. 끼익- 거리며 침대가 소리를 질렀다. 나나 침대나 하루 중 가장 힘든 일을 완수한 것이다. 늘 그랬듯 대충 아침을 때우고 세안하기 위해 세면대 앞에 섰다. 거울에는 익숙한 청년의 얼굴이 있었다. 내 얼굴은 그대로였다. 많은 일이 있었지만 그대로였다. 그 사실이 나를 안심시켰다. 최소한 변하지 않는 것이 있었다. 세안을 위해 두 손을 모아 수돗물을 받았다. 그러자 불가피하게 오른팔에 시선이 갔다. 인간의 것이 아닌 오른팔. 질긴 털이 억세게 나고, 인간의 팔에 비해 가느다란 팔. 내 팔이 아닌 팔. 떠오르는 여러 상념들을 날려버리기 위해 차가운 물을 얼굴에 부딪혔다. 차가웠다.

화장실에서 나와 의자에 걸려있던 옷을 입었다. 그리고 어제도 입었던 오래된 패딩을 꺼냈다. 왼팔부터 패딩을 집어넣는다. 그리고선 소파에서 장갑을 챙겨 양손에 장갑을 끼며 밖으로 나섰다. 현관문을 닫고 패딩 안에 있던 열쇠로 문을 잠글 때 문득 옆집인 606호 문이 열렸다. 그리고 그 문을 여는 것은 아직 어리다고 표현해야 할 앳된 아이였다. 아이는 여느 초등학생들처럼 책가방을 등에 메고 집을 나서고 있었다. 그런데 그 나이에 걸맞게 시끌벅적하게 집을 나서지 않고 조심스럽게 문을 열고 나와 가능한 한 조용하게 그 현관문을 닫고 있었다. 그 일련의 동작을 의문스럽게 쳐다보다가 그 아이와 눈이 맞았다. 그러자 그 아이는 말없이 꾸벅 고개를 숙이곤 아파트 복도를 와다다 뛰어갔다. 그러고 보니 종종 밤늦게 일을 마치고 집으로 돌아갈 때 옆집 여자가 화려한 옷을 갖춰 입고 집을 나서는 것을 본 적이 있던 것이 떠올랐다. 아마 아이의 어머니겠지. 거기까지 생각이 닿자 방금 아이의 행동이 이해가 갔다. 밤늦게까지 일하고 돌아온 어머니를 생각해 조용히 문을 닫으려 한 거겠지. 나이에 걸맞지 않게 의젓한 아이였다. 어째선지 나는 잠시 그 아이가 사라진 방향을 멍하니 쳐다보았다.

 정신을 차리고 작업장으로 향했다. 내가 일하는 곳은 흔한 용접장이다. 작업장에 도착하자 작업반장의 고함이 들린다. 작업반장은 내가 이 일을 시작하기 전부터 이곳을 지휘하던 사람이다. 익숙한 그의 지휘를 따라 내 보호구와 고글을 낀 후 내 작업장에 자리를 잡았다. 반복되는 일과의 시작이다. 하지만 한참 작업을 하던 중, 오늘따라 오른팔의 통증이 심했다. 작업에 지장이 있을 정도였다. 결국 잠시 작업을 중단했다. 그리고 그 모습을 지켜보고만 있을 작업 반장이 아니었다.

"어이, 청년. 그렇게 일할 거면 그냥 돌아가!"

강중현

짜증이 가득 담긴 목소리였다. 그 목소리가 몇 달 전의 기억을 상기시킨다. 그때도 똑같은 날이었다. 평소와 같이 이곳에 와, 평소와 같이 작업을 하고 있었다. 그렇지만 늘 그렇듯이 사고는 그럴 때 찾아온다. 문제는 용접기였다. 용접기는 그날따라 많은 일을 했고, 지나치게 혹사당했다. 과열된 용접기는 열을 이기지 못하고 그 뜨거운 열을 분출해야 하지 말아야 할 곳으로 분출했다. 바로 내 오른쪽 팔이다. 그 순간 느껴졌던 것은 기괴한 소리와 끔찍한 고통이었다.

"죄송합니다."

작업반장의 고함에 나는 연신 굽혔다.

"그렇게 일할 거면 돌아가. 오늘 일당은 없을 테니 그렇게 알라고."

그럴 순 없었다. 이미 난 전에 있던 사고로 오랫동안 쉬었고, 큰 치료비를 내야 했다. 당장 돈을 벌지 못하면 하루하루가 위험했다.

"죄송합니다. 오늘 조금 잠을 못 자서… 집중하겠습니다."

대충 변명을 둘러대자 작업반장은 불만족스러운 표정을 지으면서 돌아갔다. 그 후엔 나도 애써 일에 집중해야 했다.

어느새 해가 지고 오늘치 할당량을 끝냈다. 작업반장이

원숭이 팔

인부들에게 일과가 끝났으면 퇴근하라고 외쳤다. 나 역시 깊은 한숨을 쉬며 보호구와 고글을 벗었다. 집으로 돌아가는 발걸음은 무거웠다. 당장 너무나 많은 문제가 나를 덮치고 있었다. 그중 가장 큰 문제는 역시 돈이었다. 전의 사고를 겪고 나는 급히 응급실로 실려 가 수술대에 올라가게 되었다. 끔찍한 고통에 중간부턴 정신을 잃어 기억할 수 없지만, 내가 눈을 떴을 때 내 오른팔은 작동하지 않게 되었다. 일용직 노동자인 나에게 그 사실은 죽음과도 같았다. 나에겐 선택지가 없었다. 오히려 그 선택지라도 있었다는 사실에 감사해야 했다. 정신 차린 내게 의사가 와서 이종이식 수술을 권했다. 이종이식 수술. 종이 다른 동물의 기관이나 조직, 세포 등을 이식하는 수술이다. 여러 문제를 겪고 이제는 보급화 되기 시작한 수술이다. 당장 그 수술을 한 사람도 많고 분명히 생각할 만한 수술이었다. 그리고 무엇보다 나에게는 돈이 없었다. 이종이식 수술은 애초에 수술비가 다른 것으로 대체하는 수술보다 값이 쌌다. 결국 나는 살기 위해 원숭이 팔을 달게 되었다.

완전히 밤이 될 무렵 난 집에 도착했다. 606호를 지나 607호에 도착해 문을 열고 들어갔다. 대충 몸을 씻고 침대에 몸을 파묻었다. 자자. 자면 다 나아질 것이다. 금방 잠이 몰려왔다. 꿈속에서 나는 한 마리의 새였다.

강중현

무언가 소란스러움을 느끼고 잠에서 깨어났다. 비록 오래된 아파트였지만, 이런 밤중에 근처의 소리가 시끄럽게 들릴 만큼 헐어버린 것은 아니었다. 미세한 짜증을 담아 일어난 나는 무언가 이상함을 느꼈다. 분명히 한밤중으로 느껴지는데 창문 밖이 묘하게 밝았다. 그때 어디선가 고함이 들려왔다. '불이에요. 대피하세요'와 같은 고함이었다. 불? 순간 철렁해 창문으로 뛰어갔다. 아래에서 연기가 올라오고 있었다. 육안으로 보이지 않지만 아래층에서 불이 난 듯했다. 다행히 대피하기에 늦진 않은 것인지 아직 그렇게 큰불이 아닌 듯했다. 이 오래된 아파트는 화재경보마저 제대로 울리지 않는 모양이었다. 하지만 이렇게 소란스러우면 분명 주민 대부분이 일어나 있을 듯했다. 급하게 지갑을 챙기고 패딩을 들고 문을 열고 나섰다. 옆을 돌아보니 나처럼 급히 정신을 차리고 밖으로 나선 사람들이 보였다. 대부분 둘 혹은 셋이 서로를 챙겨주며 급히 아파트 복도를 빠른 걸음으로 뛰어가고 있었다. 나 역시 늦지 않게 그 행렬에 합류하려 했다. 그러다 불현듯 한 생각이 머리를 스쳤다. 옆집 아이. 평소와 같다면 아이의 어머니는 일을 나가 아이 혼자 있을 것이란 생각이 들었다. 최소한 급히 밖을 나선 사람 중에는 아이의 모습이나 어머니의 모습은 보이지 않았다. 혹시나 아이가 아직 이 소란을 듣지 못했다면? 하지만⋯.

분명 오지랖이겠지. 나는 무엇도 아니다. 내가 행동한다고 무언가 크게 바뀌는 일 같은 건 없을 것이다. 하지만 그저 이 찜찜함을 덜어낼 수만 있다면 약간의 행동 정도는 괜찮을 것이다. 나는 행렬에 합류하려던 생각을 잠시 접어두고 옆집 현관문 앞에 섰다. 조심스럽게 문을 쾅쾅쾅 두들겼다.

"저기요! 혹시 안에 계세요?"

아무 대답도 돌아오지 않았다. 하지만 무언가, 마음에 너무나도 걸리는 무음이었다.

혹시나. 혹시나. 아니 역시였다.

"저기요! 지금 밖에 불이 났어요! 혹시 안에 계시면 빨리 나오셔야 해요!"

나는 계속해서 문을 두드렸다. 분명했다. 최소한 지금 이 집에 아무도 없거나, 아이가 혼자 있는 것은 분명했다. 이 난리통에 나와보지 않을 아이의 부모님은 없을 것이다.

"저기요! 저기요! 안에 계세요? 빨리, 빨리 나와서…."

계속해서 문을 두드리며 외쳤지만 답이 돌아오지 않았다. 아이 혼자서 이렇게 빠르게 대피했다고 생각하긴 힘들었다. 나는 내 오른팔에 힘을 주어 문을 흔들었다. 이게 진짜 괴물의 손이었다면 이 문을 부실 수 있을 텐데. 그런 영화 같은 일은 일어나지 않았고, 나는 발로 문을 걸어찰 뿐이었다. 낡고 오래된 문이라서인지 문은 강하게 흔들려 부실 수 있을 것 같았다. 그렇게 계속해서 몇 분 동안 문을 걷어찼지만 큰 변화는 쉽게 일어나지 않았다. 오히려 변화는 문 안쪽에서 생겼다.

"……누구세요?"

겁에 질린 듯한 목소리였다. 아이가 잠에서 막 일어난 듯 문 뒤에서 나에게 말을 걸어왔다.

"저기, 지금 밖에 불이 났어요. 빨리 대피하지 않으면 위험할 겁니다."

나는 최대한 이 상황을 잘 전달하기 위해 차분하게 말했다. 하지만 목소리의 다급함을 숨기지 못했는지 아이에게서 대답이 돌아오지 않았다. 더욱 조급해진 나는 다시 아이에게 말을 걸었다.

"지금 바로 도망가지 않으면 위험할지도 몰라. 나는 여기 너희 옆집에 사는 사람이야. 사람들이랑 같이 도망가려다 혹시 도망가지 못한 사람이 있을까 봐 왔어. 다른 사람들 많은 곳으로 함께 가지 않을래?"

그제서야 아이의 대답이 돌아왔다.

"……정말이에요?"

"그래, 정말이야. 지금 바깥이 시끄러운 게 들리지? 다른 사람들이 우리에게 도망가라고 말하고 있는 거야."

"아니요, 그거 말고……. 정말로 옆집 아저씨세요?"

옆집 아저씨? 나를 알고 있는 걸까?

"그래 맞아. 난 여기 607호에 살고 있단다. 나를 아니?"

"알아요. 저번에 큰 사고를 당해서 원숭이 팔이 된 아저씨잖아요."

아이의 순수함은 가장 큰 무기라더니, 정말로 맞는 말이었다. 비록 이종이식이 보급화 되고 있지만 여전히 내 팔은 사람들의 관심 요소였고 이야깃거리였다. 하지만 그 사실로 인해 아이가 나를 기억한 것이 지금은 다행이었을지도 모르겠다.

"맞아, 그 옆집 아저씨야. 못 믿겠으면 문을 살짝만 열어서 확인해보지 않을래? 아저씨 팔도 보여줄게."

나는 애써 태연한 척 아이에게 말했다. 어찌 됐든 이게 상황을 나아지게 해준다면 가릴 처지가 아니었다. 내 기나긴 설득에 아이는 조심스럽게 문을 열었다. 빼꼼 고개를 내밀고는 내 얼굴을 확인하더니 그제야 안심한 듯 문을 활짝 열어주었다. 나는 아이에게 내 오른팔을 흔들어주었다.

"그래. 보이지? 지금 바로 도망가지 않으면 위험해. 여기서 나가서 사람들이 있는 곳으로 가자. 응?"

아이는 그래도 고민하는 표정을 짓더니 내게 말했다.

"하지만 엄마… 엄마에게 말하고 가지 않으면 혼날 거예요."

그 나이대 아이처럼 엄마 걱정하고 있었다. 나는 한쪽 무릎을 바닥에 붙여 아이와 눈을 마주했다.

"걱정하지 마. 엄마도 이런 일이 있었다는 걸 알면 이해해줄 거야. 그게 아니면 아저씨가 같이 있으면 되잖니."

그제야 아이는 고개를 끄덕이며 문밖으로 나왔다. 나는 왼손으로 아이의 손을 잡고 상황을 확인했다. 꽤 시간이 소모됐다. 바깥은 더욱 어수선해졌고, 어느새 복도까지 연기가 올라오고 있는 것이 느껴졌다. 아이의 손을 잡고 아파트 복도를 달렸다. 그러면서 아이에게 말하듯이 나에게 말했다.

"괜찮아…. 괜찮을 거야."

그때 멀리서 소방차 소리가 났다. 소방차 소리가 이렇게 안심이 되는 소리였을까?

"소방차가 왔나 봐. 이대로 내려가기만 하면 소방관 아저씨들이 불을 꺼줄 거야. 걱정하지 마."

아이에게 이렇게 말하며 계단에 도착했지만, 내 기대는 배신당했다. 계단은 이미 아래가 잘 보이지 않을 정도로 연기가 자욱하게 올라오고 있었다. 하지만 그것만이라면 괜찮았다. 연기 속에서 보이는 것은 새빨간 화마였다. 이 오래된 계단은 화재를 견디지 못하고 무너져 내렸다. 게다가 이미 밑에 층은 지나갈 수 없을 정도로 연기와 화마로 가득찼다.

어쩌지? 어떡해야 하지? 어디로…. 어디로 가야 하지?

급속도로 올라오는 연기가 최소한 이곳에 있어선 안 된다는 것을 말해주고 있었다. 점점 올라오는 연기를 피해 나는 아이의 손을 잡고 급하게 옥상으로 향했다. 오른팔의 고통이 짙어지고 있었다.

급히 뛰어와 옥상 문을 열었다. 다행히 옥상 문은 잠겨있지 않았다. 옥상에 들어와 옥상 문을 닫고 아이와 잡았던 왼손을 풀고 숨을 돌렸다. 그리고 다시 한 쪽 무릎을 꿇어 아이를 안심시켰다.

"괜찮아. 소방관 아저씨들이 우리를 구해줄 거야."

아이의 얼굴을 차마 쳐다볼 수가 없었다. 지금 겁에 질린 내 얼굴을 보면 아이는 오히려 더욱 불안해할 것이 뻔했기 때문이다. 나는 아이를 잠시 앉혀두고 옥상 난간으로 뛰어가 옥상 난간 너머로 크게 손을 흔들었다. 아파트 마당에서 지켜보던 소방관이 금방 나를 발견했다. 그 소방관이 옆의 소방관을 불러 이쪽을 가리켰다. 분명 어떻게든 해줄 것이다. 나는 아이를 데려와 아이의 모습도 그들에게 보여주었다. 아이를 봐서라도 빠르게 도와주겠지. 분명히 그럴 것이다.

"저 소방관 아저씨들이 우릴 구하러 와줄 거야. 걱정하지마."

강중현

나는 책임질 수 없는 말을 계속해서 내뱉었다. 어쩔 수 없었다. 아무것도 아닌 내게 아이를 안심시킬 방법은 없었기 때문에. 하지만 아이는 오히려 크게 당황하지 않은 듯했다. 내게 이런 질문을 할 정도였으니.

"아저씨……. 혹시 팔 보여주실 수 있어요?"

팔? 팔이라면 내 오른팔을 말하는 거겠지. 아이에게 내 팔은 분명 엄청난 호기심의 대상일 것이다. 나는 급히 나오느라 평소 반드시 끼던 장갑을 두고 왔었다.

"흉하지? 전에 사고를 당해 수술을 받았었어."

아이는 내 팔에서 눈을 떼지 못했다. 그 모습이 어째선지 나에게 죄책감을 심어주었다. 나는 떳떳할 수 없었다.

그때 소방관의 확성기 소리가 들렸다.

"아아! 옥상에 계신 두 분. 지금으로서는 불길이 세 옥상까지 접근이 불가능합니다. 잠시 뒤에 여기 소방 매트를 깔 테니 여기로 뛰어내리셔야 합니다!"

그리곤 몇 명의 소방관들 나타나 능숙하게 에어매트를 옥상 근처 바닥에 깔았다. 하지만 나는 믿을 수 없었다. 이 아파트는 7층 높이 건물이다. 절대 낮지 않은 높이다. 아무리 매트가 깔려 있어도 안전할 리가 없다. 나는 물론이고 아이에게는 더욱 그럴 것이다. 그런데도 정말 뛰어내려야 하나? 고개를 돌려 옆에 있던 아이를 쳐다봤다. 아이 역시

원숭이 팔

나를 쳐다보고 있었다. 정확히 말하자면 아직도 내 오른팔을 쳐다보고 있었다. 나는 반사적으로 오른팔을 빼내 등 뒤로 숨겼다. 마치 큰 죄를 저지르는 것 같았다. 지금 당장 아이의 눈앞에서 사라질 수 있다면 그렇게 하고 싶었어. 하지만 그럴 수 없었다.

"아저씨, 많이 아팠어요?"

당연히 아팠다. 심지어 수술받은 지 꽤 오래 지난 지금도 아팠다. 고통에 밤을 새운 적도 많았다. 하지만 그렇게 말할 수는 없었다.

"아니, 괜찮아. 전에는 아팠는데 이제는 괜찮아."

애써 괜찮은 척하며 아이에게 웃어 보였다.

"그래요? 아저씨도 나랑 똑같구나……."

아이는 갑자기 윗옷을 올렸다. 나는 깜짝 놀라 고개를 돌렸다. 그런데 고개를 돌리기 전 얼핏 보였던 아이의 피부에 위화감이 강하게 느껴져 다시 아이를 쳐다볼 수밖에 없었다. 사람의 피부가 있어야 할 자리엔 넓게 퍼져있는 이종의 피부가 존재했다.

"이건……."

당황스러웠다.

아이는 내 눈을 바라보며 말해주었다.

"저도 전에 크게 다친 적이 있었어요. 그때 저도 엄청 아

강중현

팠었고 수술받았었어요. 그때 눈 떠보니까 이렇게 변해 있었어요. 근데 엄마가 괜찮다고, 괜찮다고 해줬는데 저는 왠지 부끄러워서 숨기고 다녔었어요."

"아프지는, 아프지는 않은 거니?"

걱정을 가득 담은 내 목소리가 스스로 역겨웠다.

"네! 이제는 완전 안 아파요. 처음엔 아팠는데 엄마가 매일 쓰다듬어 주니까 이제 하나도 안 아파졌어요! 그리고 이제는 숨기지도 않을래요! 아저씨처럼 당당하게 드러내고 싶어요"

커다란 충격이 나를 덮쳤다. 이게 무슨 충격인지 알 수 없었다. 하지만 상황은 급박했고, 나를 내버려 두지 않았다. 어찌 됐든 우리는 뛰어내려야 했고 아이는 용기를 냈다. 우리는 뛰어내리기로 했다.

혹시 몰라 아이가 먼저 뛰어내리기로 했다. 건물이 위험할지도 모르니 조금이라도 빨리 이 건물로부터 아이를 대피시키고 싶었다. 아이는 어려서 겁이 없는 건지 약간 망설이더니 나를 한 번 쳐다보고는 금방 뛰어내렸다. 뛰어내린 아이는 에어매트에 안착했고, 아래에서 소방관들이 달려들어 아이를 안아 들었다. 고개를 들어 주위를 살피는 것을 보면 멀쩡해 보였다. 이제 내 차례였다. 나는 뛰어내렸다.

눈이 내리고 있었다. 나는 어렸을 적 하늘을 나는 새를

동경했다. 그 자유로움이 정말로 부러웠다. 인제 와서 생각해 보면 나는 하늘을 나는 새가 되고 싶었던 것 같다. 나는 뛰어내렸다. 바닥엔 어느새 하얀 눈이 소복이 쌓였다. 더 이상 고통은 없었다.

강중현

작가노트

  저는 고통에 대한 이야기를 쓰고 싶었습니다. 이 글은 아팠던 기억을 바탕으로 쓴 글입니다. 아프지 않았던 사람은 없을 것입니다. 스스로 아픔을 이겨내는 일은 아주 힘든 일입니다. 하지만 정말 아플 때, 주변 사람들에게 아무리 위로받아도 큰 도움이 되지 않았습니다. 제 아픔에 힘겨워 다른 사람들의 목소리가 들리지 않았습니다. 하지만 혼자서 그 아픔을 이겨내는 건 더욱 힘든 일이었습니다. 하지만 그럴 때 내 아픔을 이해하고 공감해주는 사람이 있었습니다. 바로 저와 같은 아픔을 겪고 있던 사람이었습니다.

  삶은 고통입니다. 하지만 새벽이 지나면 언제나 아침이 옵니다. 길고 긴 고통의 시간은 끝나고 찬란한 시간이 올

것입니다. 저마다의 밝게 빛나는 삶. 이 글이 그 삶을 위한 옅은 조명이 되었으면 좋겠습니다.

안드로이드 걸

아침이 오기 전 새벽은 누구에게나 힘들다. 아늑한 이부자리를 떠나야 한다는 사실을 슬슬 받아들여야 할 시간이기 때문이다. 남자는 힘겹게 눈을 떴다. 창밖으로 해가 뜨고 있었다. 오늘로 부품공장에 납치된 지 닷새째. 근로기준법을 뭐같이 아는 감독관을 떠올리며 남자는 이를 갈았다. 안 그래도 힘든 새벽인데 이 자식 때문에 난이도가 더 올라갔다. 온종일 허리를 숙이고 작업대 앞에 서 있을 생각을 하면 침대의 유혹을 뿌리치기가 더욱 힘들어지는 것이다. 아침이 오는 걸 미룰 수 있다면 좋겠지만, 일개 인간이 태양의 위치이동을 멈출 순 없었다. 남자는 그 사실에 탄식했다.

황민지

그나마 위안이 되는 건 혼자가 아니라는 사실. 자신 말고도 똑같이 납치당한 인원이 있었다. 같이 버티면 좀 나을 것이다. 생각을 마친 남자가 한숨을 쉬며 트레이에서 기계 부품을 꺼내 벨트 위에 올려놓고 조립했다. 얼마 안 가 다른 동료들 역시 작업에 참가했다. 그렇게 한창 일이 진행될 때였다.

"커헉."

누군가가 창자가 뒤집히는 소리를 내며 바닥에 엎어졌다. 벨트 위에 놓인 부품들이 와르르 쏟아졌다.

"거기 무슨 소란이냐!"

감독관이 성큼성큼 다가와 현장을 확인했다. 쓰러진 노동자는 앓는 소리도 내지 못하고 시체처럼 누웠다. 며칠 동안 무리하게 몸을 혹사한 결과였다. 감독관이 혀 차는 소리를 내며 노동자의 머리채를 거칠게 틀어쥐었다. 질질 끌고 가 적당한 쓰레기통에 버릴 생각이었다.

"뭘 멀뚱멀뚱 쳐다보고 있어! 조금 있으면 조합원이 올 텐데 작업 분량은 다 끝내고 노는 거겠지?"

노동자들이 눈치를 보며 작업을 재개했다. 빈민가의 거지들을 무작위로 잡아 와 투입한 이 공장은 하나의 감옥과도 같았다. 죽기 전까진 나갈 수 없다. 그 사실이 절망스러웠다. 남자는 이를 악물고 저도 모르게 중얼거렸다.

"쓰레기 같은 놈……."

생각보다 소리가 컸다. 남자는 자기가 말하고 자기가 놀라서 몸을 움츠렸다. 순간 시선이 느껴진 곳을 쳐다보니 바로 감독관과 눈이 마주쳤다. 아무래도 제 소리가 들린 것 같았다. 남자가 긴장으로 굳었다.

"방금 뭐라고 했지?"

남자는 순간 모른 척을 할까 고민했지만 이윽고 부질없다는 걸 깨달았다. 어느새 제 앞으로 성큼 다가온 감독관이 주머니에서 조그만 만년필 모양의 물건을 하나 꺼냈다. 기존의 레이저 커터를 절삭 기능에 집중하여 특별 개조한 것으로, 강철도 두 동강 내는 위력이었다. 그 살벌한 흉기가 자신의 머리를 겨누고 있었다. 머리가 수박처럼 터져나가는 장면을 상상한 남자의 얼굴이 사색이 됐다.

"길바닥에서 숨쉬기 운동만 하던 쓸모없는 녀석들에게 기껏 노동의 참맛을 느끼게 해줬더니 그 은혜를 모르고 불평도 가지가지 하는군."

"사, 살려주세요. 살려주세요. 제발 한 번만 용서해주세요. 잘못했습니다……. 반성하고 있어요. 그러니 제발……."

"시끄럽다. 잘 가라."

죽음을 예감한 남자가 눈을 질끈 감을 때였다.

탕-

황민지

정확하게 저격된 총알이 감독관의 손에서 레이저 커터를 튕겨냈다. 예상치 못한 상황에 모두가 총알이 날아온 방향으로 고개를 돌렸다.

"……."

그곳에는 한 소녀가 칠흑 같은 머리칼을 휘날리며 귀신처럼 서 있었다. 소복이 아니라 군복을 입고 있다는 게 그나마 사람 같은 점이었다. 나이는 열네댓 살쯤 되었을까. 그만큼 앳된 외모였다. 예상치 못한 소란에 상주하던 보안관이 몰려와 소녀와 대치했다. 소녀가 총을 품에 집어넣었다.

"그래……. 투항해야지. 너 혼자 이 인원을 감당할 수는 없을 테니."

소녀가 고개를 저었다. 단지 총이 필요 없을 뿐이었다. 이윽고 소녀가 진격했다. 몸집이 소녀의 두 배나 되는 보안관들이 낙엽처럼 쓸려나갔다. 한 편의 무협지를 보는 듯한 체술이었다.

감독관은 난장판 속에서 고개를 숙인 채 눈알만 굴려 도주로를 확인했다. 9시 방향 가스통 뒤쪽. 큰 보폭으로 뛰면 일곱 걸음만에 닿을 거다. 소녀가 보안관들과 엎치락뒤치락 싸우느라 정신이 팔린 지금이 기회였다. 생각을 마친 때였다. 문득 눈앞으로 그림자가 지는 느낌에 고개를 들었다. 잠깐 사이에 소녀가 코앞까지 당도했다. 당황한 감독관이 품에서 커터칼을 꺼내 소녀를 찔렀지만, 칼날은 소녀의 피부를 조금도 뚫지 못하고 그대로 멈췄다. 감독관이 황망하게 소녀를 바라봤다.

"너……."

쾅-

조금의 부상도 입지 않은 소녀가 감독관을 때려눕혔다. 그대로 녹다운이었다. 감독관의 말이 이어질 틈도 없었다. 이 모든 광경을 남자를 비롯한 여러 노동자가 보고 있었다. 소녀가 입은 군복에는 견장도 없었고, 그 흔한 배지 하나 달리지 않아 신분을 추측할 수단이 전무했지만 그럼에도 그곳의 모두가 소녀의 정체를 짐작할 수 있었다.

"레비?"

멍하니 서 있던 남자가 소녀의 이름을 입에 담았다. 머릿속엔 한 가지 생각만이 가득했다. 소문이 사실이었다! 정부군이 지구상에 유일한 전투용 안드로이드를 키운다는 소문이. 방금 광경을 봤으니 안 믿을 수도 없었다.

"……."

한편 자신을 부르는 소리에 소녀가 돌아보았다. 남자와 소녀의 눈이 스르륵 마주쳤다. 기다리던 구세주의 등장이었다.

황민지

* * *

외곽도시 슬럼가. D구역 24번 거리 공장형 폐건물.

기절한 감독관을 구속한 레비가 현장을 차근차근 정리했다. 구출된 노동자들이 조심스레 감사 인사를 건넸다. 고개를 대충 까닥여 화답한 레비가 인터컴을 틀었다. 손목의 스마트워치를 조작하자 화면에 데이터가 떠올랐다. 자신의 몇 안 되는 연락처 목록. 자연스레 맨 위에 있는 이름이 눈에 들어왔다.

'총사령관 김현성.'

임무를 마친 뒤에는 그에게 보고해야 한다.

"끝났어요. 대장."

레비가 무뚝뚝한 목소리로 말했다. 이어서 인터컴 너머로 차가운 목소리가 들려왔다.

ー보고는 돌아와서 해. 일단 현장을 마저 정리하고 구출한 빈민들은 센터로 넘기도록. 미리 연락해뒀으니 그쪽에서 호송선을 보낼 거다. 끊어라.

현성에게 보일 리는 없었지만 레비는 예의 바르게 고개를 끄덕이곤 통신을 종료했다. 마침 현성의 말대로 저 멀리서 호송선이 오고 있었다. 언제 봐도 일 처리가 참 빈틈

없는 남자였다. 그렇게 생각한 레비는 만족스럽게 임무를 복기했다. 현장에 뒤이어 합류한 부대원에게 나머지를 맡기면 자신이 할 일은 끝난다. 실로 오랜만에 간단한 임무였다.

레비는 정부군 특수작전부대에 소속된 전투용 안드로이드로, 군에서 일한 지도 이제 햇수로 5년이 되었다. 전시 상황이면 각종 비밀작전을 수행하고, 적국 테러로부터 사람들을 지키는 것이 주된 임무였다. 임무 성공률이 100%에 가깝다거나, 정부군의 핵심 전력이라는 점을 빼고도 레비가 특별한 이유는 지구에 하나뿐인 안드로이드라는 데 있었다. 현재 지구엔 레비 같은 로봇을 만들 기술력이 없었으니까. 레비는 지구 출신이 아니라 외우주 소행성에서 뚝 떨어진 신병이기(神兵利器)였다.

레비는 자신이 지구에 처음 떨어진 날을 떠올렸다. 정신을 차렸을 땐 기억나는 게 아무것도 없었다. 눈을 뜰 수도, 소리를 들을 수도 없었다. 추후 얘기를 들어보니 외곽지역의 오염된 늪지대에 거꾸로 처박힌 모양이었던 것 같았다.

검은 진흙 한가운데 불시착한 채 연기를 뿜는 우주선. 그 안에 타고 있는 작은 여자아이. 심장도 뛰지 않는 차가운 몸이었다. 레비를 처음 발견한 정찰대원들은 처음엔 시체가 타고 있는 줄 알았다. 그러나 여자아이는 늪지대에서

황민지

꺼내지자마자 의식도 없는 채로 일어나더니 별안간 정찰대를 공격했다. 몸에 묻은 진흙과 팔다리 접합부 이상으로 움직임이 둔해진 상태가 아니었다면 모두가 몰살당할 뻔했다. 이후 간신히 제압한 포로의 신체가 금속으로 이루어졌다는 게 밝혀지기까지는 하루도 채 걸리지 않았다.

레비는 겉보기만으론 인간과 차이를 구분할 수 없을 정도로 완성도가 높은 안드로이드였다. 특수한 소재로 만든 인공피부. 삐걱대지 않고 자연스러운 몸놀림. 기계음이 섞이지 않은 맑은 목소리. 게다가 레비의 몸은 불에도 타지 않고, 총알 세례를 맞아도 될 정도로 튼튼했다. 덕분에 사람이 하지 못하는 많은 일을 할 수 있었다. 외형적인 것뿐만 아니라 인간처럼 사고할 수 있는 인공지능 역시 특별함에 한몫했다.

당시 온 연구원들이 들러붙어 레비의 몸을 조사하고 비슷한 모델을 만들어보려 시도했지만 번번이 실패로 돌아갔다. 어떻게든 정보를 캐내려고 전전긍긍하던 사람들은 지구 바깥의 이야기를 해달라고 조르기도 했지만 레비로서는 기억나는 게 없었다. 레비는 지구에 떨어질 때 추락의 충격으로 메모리에 문제가 생긴 것이겠거니 했다. 지구에 오기 전 자신은 뭘 하고 있었을지. 또, 자신을 만들어 준 진짜 주인은 누구일지. 이제 평생 알지 못할 문제였다.

그래도 레비는 지금의 생활에 꽤 만족했다. 그런 사소한 문제 따위는 생각나지도 않을 만큼. 일도 나름대로 보람이 있고 사람들도 저를 경계하던 처음과는 달리 많이 친절해졌다. 처음에 폐기처분당할 뻔한 일을 생각하면 지금 이렇게 지내는 것도 어찌 보면 기적이었다. 군에는 어떻게 오게 되었더라. 레비는 천천히 지난날을 되짚었다.

"……"

온통 임무와 훈련에 대한 것뿐이었기에 레비는 질린다는 듯이 인상을 구겼다. 결국 꼽을 만한 기억이 없는 탓에 회상은 순식간에 몇 년을 거슬러 올라갔다. 현성을 처음 만난 날이었다.

'나도 궁금한걸. 네가 주인을 다치게 할 재해가 될지, 세상에 하나뿐인 보물이 될지. 아무튼 잘해보자.'

현성은 레비를 폐기하자고 주장하는 이들 사이로 레비의 쓸모를 이야기한 사람 중 하나였다. 듣기로는 처분 결정을 뒤엎는 데 가장 큰 역할을 해주었다고. 그가 아니었으면 지금의 생활도 없었겠지. 레비는 생각했다. 지금도 눈을 감으면 사람들이 자신을 두고 떠들어대는 목소리가 선명했다. 오랫동안 겹친 물때 같은 기억이었다.

황민지

'대체 무슨 소릴 하시는 겁니까. 지금 외우주 기술의 총합체이자 전대미문의 신병이기가 넝쿨째 굴러 들어왔는데 저런 걸 이용할 생각도 안 해보고 폐기하는 건 전 국가적 손실입니다.'

'이미 사람을 공격한 전과가 있지 않습니까. 통제할 수 없는 무기는 성능이 뛰어나봤자 계륵에 불과할 뿐이지요. 장관은 저 로봇이 변수를 일으키지 않을 거라 어떻게 확신하십니까?'

'일단 머리부터 열어봐야……'

처음 온 행성에서 처음 보는 사람들이 자신을 두고 싸우는 경험은 썩 유쾌한 것은 아니었다. 가까스로 처분 결정이 취소되고 현성을 만나게 된 순간, 레비는 자신을 거두어 준 이 집단에 충성을 다하기로 결심했다. 그렇게 군인의 삶이 시작된 것이다.

레비가 이런저런 생각에 잠긴 그때, 누군가 다가왔다. 40대 정도로 보이는 단정한 인상의 남성이었는데, 그는 성큼성큼 걸어오더니 레비의 손을 반갑게 맞잡았다.

"고맙습니다, 선생님. 좀 더 제대로 감사 인사를 드리고 싶어서요."

아까 구출한 노동자 중 한 사람인 것 같았다. 레비는 민간인이 저렇게 친근하게 말을 거는 건 처음이라 놀랐다.

"센터로 안 가셨네요."

"아, 보다시피 몰래 빠져나왔습니다. 이만한 일을 겪었으니 그냥 빨리 돌아가서 발 닦고 잠이나 자려구요."

"그래도 조사 절차라는 게 있는데……."

"하하, 괜찮아요."

레비가 근처에서 일하던 다른 부대원을 부르려 하자 남자가 난처한 듯 웃으며 레비를 붙잡았다. 그리곤 품에서 작은 명함을 꺼냈다. 재즈피아니스트/프로듀서. 황성연. 고급스러운 서체의 텍스트가 눈에 들어왔다. 레비도 어디선가 들어본 이름이었다.

"당장 내일 공연 리허설이 있어서요. 지금 돌아가지 않으면 일정에 차질이 생길지도 모른다고요. 저쪽엔 이미 말씀드리고 양해를 구했으니 선생님도 제발 한 번만 봐주십쇼."

"뭐, 그렇다면……."

얘기를 들어보니 황성연은 음악적 영감을 얻으려 다른 도시에 내려왔다가 봉변을 당한 모양이었다. 황성연은 하루만 더 늦었다면 소중한 공연이 어떻게 되었겠냐며 호들갑을 떨었다. 자신을 응원하고 기다려 준 팬들의 마음에

황민지

보답하지 못하는 것이야말로 세상 무엇보다도 끔찍한 일이라고 했다. 더불어 재즈가 얼마나 위대한 장르의 음악인지, 가뜩이나 우중충한 세상에서 기운 빠지는 연주보단 재즈처럼 발랄한 쪽이 낫지 않냐며 30분 동안 열띤 설파를 했다.

"그래서 제가 이 도시까지 온 거죠. 원래 예술가는 환경을 다양하게 바꾸면서 일해야 하니깐요."

"그렇군요……. 안 물어보긴 했지만요."

황성연이 방긋 웃으며 이어서 말했다.

"실례가 안 된다면 레비 씨를 공연에 초대하고 싶습니다."

"왜요?"

"절 구해주신 은인이니까요."

초대. 순간 레비의 가슴이 한번 뛰었다. 물론 심장이 없지만 레비는 그렇게 느꼈다. 초대는 한 사람이 타인을 개인의 영역에 들이는 행위. 이를 위해선 서로 간에 적당한 신뢰가 있어야 한다. 세간에 알려진 자신의 평가는 살육을 위해 설계된 전투병기에 가까웠다. 레비가 아군인 걸 알면서도 사람들이 가까이하지 않으려는 것도 어찌 보면 당연했다. 그렇기에 민간인과 일상적인 교류를 해본 적이 없던 레비는 살면서 누군가에게 '초대'라는 말을 들어본 일도 처음이었다.

레비는 언젠가 TV로만 보았던 웅장한 홀과 빛나는 악기를 떠올렸다. 그리고 관객들의 얼굴에 서린 기대감. 그 감정을 색깔로 치환한다면 핑크빛이 아닐까 할 정도로 그곳의 공기는 묘하게 들떠있었다. 공연을 감상하는 건 분명 즐겁고 행복한 일일 테다. 레비도 언젠가 그런 곳에 가보고 싶었다.

그러나 레비는 곧 현실의 벽에 부딪혔다. 현실적으로 자신이 내일 공연에 맞춰가기는 힘들 터였다. 재즈 피아노 공연이라면 아마 중앙도시에서 열릴 것이다. 현재 이 나라에서 문화생활이 활발하게 이뤄지는 공간이라면 분명 거기밖에 없을 테니까. 그리고 중앙도시를 드나들려면…….

'시민권이 있어야 하지.'

레비는 생각했다. 자신은 외우주에서 뚝 떨어진 로봇이라 이곳 시민권이 없었다. 아쉽게 된 일이었다. 그 말인즉슨 황성연의 공연도 보러 갈 수 없다는 뜻이니까. 이 나라는 시민권이 없는 자의 움직임을 엄격히 통제했다. 현재 지구는 이곳저곳 한창 영토전쟁 중으로, 도망친 포로와 난민들이 하루에도 시도 때도 없이 유입돼 치안을 어지럽히는 탓이었다. 누구에게나 예외 없이 적용되는 규칙 때문에 레비는 공무 수행 중을 제외하곤 멋대로 돌아다닐 수 없는 처지였다. 특히 중앙도시는 돔 형태의 바리케이드로 보호되

황민지

고 군대가 상주해 그곳의 상류층 시민들을 안전하게 지켰
다. 보안이 철저한 만큼 드나드는 절차도 까다로웠는데 그
점이 자신한테 독이 된 것 같았다. 레비는 그 점을 황성연
에게 설명했다.

"그래서 가지 못할 거예요."

"따로 허가받을 순 없는 건가요?"

"사적인 이유로는 힘들어요. 정 가고자 한다면 누군가를
꼬셔서 소지품 신분으로 동행해야겠죠."

"으음, 안쓰러운 일이네요."

황성연이 쓸쓸하게 웃었다. 자신을 정말로 동정하듯 쳐다
보는 눈길에 레비는 저도 모르게 그를 따라 입꼬리를 작게
끌어올렸다. 어쩐지 자신까지 쓸쓸해지는 기분이었다.

* * *

황성연을 만난 날로부터 며칠이 더 흘렀을 때였다. 레비
는 군화 안에 들어간 모래를 탁탁 털어냈다. 자신은 지금
외곽지역의 오래된 사막 유적지에 와 있다. 전말은 다음과
같았다.

─레비. 외곽지역 유적지 부근에서 실종자가 발생했다.
지금 당장 정찰대에 합류해서 위험 요소를 수색하고 부상

자가 있다면 구급선에 이송시켜. 좌표를 보냈으니 즉시 이동해라.

긴급 명령이었다. 즉시 출발한 레비는 현성이 좌표를 찍어준 지점에 도착했다. 건조하고 답답한 공기가 훅 끼쳐왔다. 너무 넓어서 뭐부터 해야 할지 알 수 없었다. 일단 데이터를 수집하는 데 집중해야겠지. 그렇게 생각한 레비가 걸음을 옮길 때였다. 멀리서 먼지구름이 일어나는 것이 보였다. 레비가 시야를 줌으로 확대했다.

'비행선?'

수상함을 느낀 레비가 땅을 박찼다. 머리로는 오전에 들은 정보를 떠올렸다.

'레비. 간략한 사건 경위를 전달해 줄 테니 잘 들어라. 실종된 이들은 유니온 사관학교 학생들로, 사흘 전 과제를 위해 사막 유적지에 들렀다.'

'너도 알다시피 사관학교 졸업생 대다수는 우리 정부군에 입적하지. 군과 유니온은 제휴 관계니까.'

'정부군에게 보복하려는 세력이 군 대신 유니온을 쳤다는 게 우리의 소견이다. 특히 길드와 연루됐을 가능성이 있으니 각별히 주의하도록.'

황민지

길드. 사회주의를 표방하는 국제 범죄 단체, 정부군의 영원한 숙적. 본인들 말로는 범죄 단체가 아니라 뒷세계를 관할하는 일종의 사기업이라 주장하고 있다만 레비가 생각하기엔 영 믿을 수 없는 소리였다. 아무튼 길드의 악명은 지구에 온 지 얼마 안 된 레비도 잘 알았다. 레비는 괜스레 차오르는 불안감에 착용한 인터컴을 만지작거렸다.

그렇게 복잡한 생각으로 달린 끝에 어느덧 목표 지점에 도착했다. 상아색 벽돌로 지어진 건물이 즐비한 곳이었다. 꼭 하나의 작은 도시 같았지만 사람이 없어서 을씨년스러웠다. 레비는 멀찌감치 떨어진 건물 옥상에서 아까 발견한 비행선을 내려다보았다. 이제 막 이륙할 준비를 하는 모습이었다. 그리고 이를 감독하는 몇 명의 인원들. 레비는 직감적으로 그곳에 학생들이 타고 있음을 눈치챘다. 레비가 현장으로 뛰어내리려는 그때였다.

"네가 올 줄 알았지."

뒤쪽에서 인기척도 없이 제삼자의 목소리가 들려왔다. 레비가 뒤를 돌아봤다.

"길드가 개입했다는 정보를 일부러 흘렸거든. 그러면 너희로서는 가장 쓸 만한 전력을 투입하는 게 당연하잖아."

덩치가 아주 큰 남자였다. 키가 레비의 두 배는 되는 것 같았다. 눈에 띄는 점은 그뿐만이 아니었는데, 옷깃 위로 드러난 목덜미도, 옷자락 아래로 언뜻언뜻 보이는 손목 발목도. 그 외에도 옷으로 가리지 못한 신체 부위 전부가 맨 피부 대신 기계 부품으로 덮여있었다. 의수나 의족을 착용한 건지, 아니면 의복 위로 슈트를 장착한 건지는 알기 힘들었다. 레비가 그걸 빤히 쳐다보자 남자가 웃었다. 레비는 멋쩍은 마음에 말을 돌렸다.

"비행선에 학생들을 태웠죠? 지원을 불렀으니 곧 현장이 포위될 거예요."

"하하, 너무 날 세우지 마. 너와 하고 싶은 얘기가 있었을 뿐이니."

레비가 홀스터에서 스턴건을 뽑았다. 적과 곧이곧대로 대화를 나누는 것만큼 멍청한 짓은 없었다. 그걸 본 남자가 예상했다는 듯이 미소를 지었다. 그러나 남자는 이내 웃음을 지우고 전투 자세를 취했다. 레비는 망설임 없이 방아쇠를 당겼다. 남자는 피할 생각도 하지 않고 날아오는 바늘을 건틀릿으로 쳐내 가볍게 무력화했다. 키트가 빠진 무기를 버린 레비가 품에서 다른 총을 꺼냈다. 곧이어 총알세례가 빗발쳤다. 남자는 방탄 헝겊을 뒤집어쓰고 인간이 낼 수 없는 속도로 달렸다. 이윽고 땅을 박차고 뛰어오른 남자가 레비와 격돌했다. 레비가 휘두른 주먹에도 조금의 타격도 받지 않은 남자는 그대로 레비의 팔을 붙잡아 자기

황민지

쪽으로 끌어당겼다. 곧이어 한 손으로 레비를 꽉 붙잡은 남자의 품에서 작은 꾸러미가 나왔다. 물건의 정체를 확인한 레비가 기겁했다.

"다이너마이트……!"

짧은 경악과 동시에 굉음이 울렸다. 레비가 딛고 있던 옥상이 산산이 조각나며 잔해가 우박처럼 곤두박질쳤다. 미친놈, 미친놈. 레비는 건물 파편과 함께 아래로 떨어지면서 평소 해본 적 없던 욕지거리를 내뱉었다. 길드에는 미치광이들만 있다더니 틀린 말이 없었다. 자폭이었다. 분명 남자역시 폭발의 범위에 들어가 있었다. 레비 자신은 괜찮을지 몰라도 인간이 저런 걸 맞고 무사할 순 없었다.

레비는 아찔해진 정신을 부여잡고 가까스로 몸을 일으켰다. 남자가 어떻게 됐는지 확인해야 했지만 폭발로 인한 먼지 때문에 앞을 볼 수 없었다. 그때 검은 연막을 뚫고 유리병 같은 것이 날아왔다. 안에 들어있던 검고 끈적한 액체가 유리병이 깨지면서 레비의 얼굴을 덮쳤다. 순식간에 시야가 검게 물들었다. 레비가 머뭇거리는 사이 먼지구름 속에서 남자가 진격했다.

빠각-

남자가 걷어찬 레비의 다리에서 파열음이 울렸다. 총알을 맞아도 끄떡없던 다리가 발길질 한 번에 박살이 났다. 이어서 남자가 레비의 가슴을 세게 걷어찼다. 레비의 몸이 저 멀리 튕겼다.

"허억……."

정신이 금세 아득해졌지만 넋 놓고 있을 시간이 없었다. 레비는 빠르게 옆으로 몸을 굴렸다. 이내 몸을 피한 자리가 남자의 발길질에 움푹 파였다. 꼭 운석을 맞은 것처럼. 상식을 파괴하는 괴력이었다.

"……당신 인간이 맞아?"

남자는 대답하지 않았다. 바닥에 엎어진 그대로 레비는 품에서 플라즈마 총을 꺼냈다. 위력이 너무 강해 웬만하면 사용하지 않지만 긴급 상황이라 어쩔 수 없었다. 그와 동시에 남자가 제 몸집보다 큰 기둥 잔해를 앞으로 던졌다. 방아쇠를 당기자 회전하며 발광하는 탄환은 그대로 기둥과 충돌해 박살을 냈다. 그 뒤로 숨은 남자의 몸은 생채기 하나 입지 않았다. 큰맘 먹고 꺼낸 무기를 그렇게 막아내는 모습에 레비는 할 말을 잃었다. 힘도, 맷집도, 전투 센스도. 평범한 인간의 것을 아득히 넘어선 수준이었다. 폭발에 살아남은 것도 그렇고 모든 게 의문이었다. 그때 남자가 그에 답하듯 말했다.

"난 가족도 잃고 수명도 얼마 남지 않았어. 이 힘을 얻은 대가지. 그 전에 정부군 놈들한테 어떻게든 엿을 먹일 거다."

"……."

"레비. 사실 난 너를 해치고 싶지 않아. 넌 좀 불쌍한 녀석이거든."

"무슨 소리죠?"

"이제야 내 얘기를 들을 마음이 생겼나 보군."

남자가 힘없이 웃었다. 레비는 경계 태세를 유지한 채 몸을 추슬렀다. 다행히 전투가 재발할 낌새는 없었다. 분위기가 누그러지자 남자가 다시 입을 열었다.

"듣고 싶다면 얘기해주지. 지루하지는 않을 거다."

* * *

첨탑. 중앙도시에서 가장 비싼 땅에 세워진 커다랗고 높은 과학기지. 상위 0.1% 두뇌들의 집결지이자 지구상에 존재하는 첨단기술의 총본산이었다.

어느 날 첨탑은 정부군과 규합해 비밀 프로젝트를 진행했다. 일명, 사이보그 프로젝트. 인간의 신체를 기계로 바꾸어 늙지 않고, 천년만년 쓸 수 있는 강인한 육체를 가진 생체병기를 만들겠다는 프로젝트였다. 실험의 완성률은 막바지에 이르렀고 첨탑은 마침내 베타 버전 모델을 만들 임

상실험 단계에 다다랐다. 실험에 참여할 이들은 당연히 현직 군인은 아니었다. 귀중한 전력을 검증되지도 못한 실험에 노출할 순 없었으니까. 첫 번째 실험체는 영토전쟁에서 낙오된 난민들이었다. 첨탑은 실험이 성공하면 이곳의 시민권을 준다는 말과 더불어 정부군의 하이루키로서 막대한 명예와 부를 얻게 될 거라는 말로 꼬드겼다. 갈 곳 없는 그들은 꾐에 넘어가 자발적으로 실험에 참여했다.

실험의 결과는 참혹했다. 실험에 참여한 사람들이 수술대 위에서 우르르 죽었다. 혹은 살아남더라도 멀쩡히 생활하다가 전조 없이 픽픽 쓰러졌다. 신체의 방어체계는 몸속에 갑작스레 삽입된 부품을 오염물질로 인식하고 공격했다. 인간 신체에 거부감이 적을 새로운 물질을 개발해 덧씌우는 방법도 소용이 없었다. 결국 인권 단체의 시위와 무수한 반대 여론으로 폐기된 프로젝트였다. 레비도 역사서를 읽은 덕에 그 사건을 알았다.

"그래서 그게 어쨌다는 거죠."

"중요한 얘기야. 내가 그 실험에서 살아남은 생존자니까."

레비는 매우 놀랐다. 살아남은 실험체가 있다는 말은 들어본 적 없으니까. 그런 건 책에도 실리지 않았다.

"가까스로 생존한 나는 비밀리에 군에서 활동하게 됐다.

심각한 부작용을 가지고서 말이지."

난민 출신의 그는 아픈 어머니와 여동생을 위해 모든 실험을 버텨냈다. 운 좋게 살아남은 것만으로도 희소한 성공 사례라고 할 수 있었다. 그러나 뒤따라오는 부작용은 어쩔 수 없었다. 이전의 모든 기억을 잃어버리고 세뇌된 인격을 얻게 된 것이었다. 주어지기로 약속한 보상은커녕, 남자는 가족이 있다는 사실조차도 잊어버린 채 정부군의 노예로 살다가 어느 날 전조 없이 예전의 기억을 되찾았다. 남자는 그 즉시 대열을 이탈해 어머니와 여동생을 찾았다. 그러나 소년가장을 잃은 이들은 생존하지 못했다. 사실을 알았을 때는 모든 게 늦은 뒤였다. 군에서 구르느라 잃어버린 시간도, 가족과 함께하던 예전의 삶도 결코 되찾을 수 없었다.

"사이코패스 같은 놈들."

남자가 으르렁댔다.

"놈들은 날 입맛대로 이용하기 위해 모든 사실을 덮어버린 채 나한테 아무것도 알려주지 않았던 거야. 내가 왜 모든 위험을 감수하고 그 실험에 참여했는지, 나한테 부양해야 할 가족이 있었다는 사실까지도."

레비는 매우 큰 충격을 받았다. 정말로 그런 일이 있었던 걸까. 모든 게 사실이라고 치자. 그렇다면 왜 이토록 조용

했을까. 다른 대원들도 이 사실을 알고 있었나. 부사령관은? 하다못해 자신을 거두어 준 현성은? 정말로 모두가 그렇게 나쁜 의도를 가지고 한마음으로 침묵했던 걸까? 남자를 이용하려고? 온갖 의문이 폭발했다. 그리고…….

'똑같이 시민권이 없는 난…….'

나도 똑같이 이용당하게 될까. 레비의 머리가 느릿느릿하게 최악의 상황을 가정했다.

"사건을 수면 위로 띄우고 사과받고픈 심정이었지만, 너도 알다시피 시민권이 없는 자가 이 나라에서 할 수 있는 일은 매우 적어."

"……."

"정말로 그렇게 날뛰었다간 오히려 반동분자 취급받고 잡혀가지나 않으면 다행일 거다."

남자가 다시 날카롭게 말했다.

"너도 줄을 잘 타는 게 좋을걸. 위험구역에서 뺑이치다가 비명횡사하기 싫으면 말이야. 정부군 놈들이 널 언제까지 챙겨줄 거 같아?"

"……."

"아무리 너라도 천년만년 멀쩡한 모습이지는 못할 거 아니냐. 그러다 망가지기라도 하면? 외곽지역 용암지대에 떨어지거나 잘못해서 머리라도 박살 나면? 그때는 어떻게 할

황민지

셈이냐. 그놈들한테 널 고쳐줄 기술이 있을 거 같아?"

몸이 망가지게 된다면. 글쎄다. 거기까지는 생각해 본 적이 없었다. 자신은 아주 튼튼했으니까. 확실히 가벼운 부상 정도는 괜찮겠지만 그렇게까지 다치게 되면 문제가 있을 것 같았다. 남자의 말이 계속됐다.

"넌 언젠가 버려지게 될 거야. 고장 난 인형처럼 옴짝달싹하지도 못한 채 쓰레기 더미 사이에 누워서 후회해봤자 그때 가면 이미 늦은 거라고."

"그럴 리 없어요."

레비는 옛 기억을 떠올리며 단호하게 말했다. 언젠가 첨탑의 기술자가 레비를 분해해 본답시고 납치하려 한 적이 있었다. 그때 현성은 매우 화를 냈다. 자기 부하를 그딴 식으로 취급하지 말라며 엄포를 놓더니 레비를 방에 넣었다. 레비는 그 모든 난리를 초연하게 일관하려 노력하면서도 속으론 조금 기뻤다.

"김현성 그 개자식이 그랬다고? 그거야 자기 물건을 함부로 손대는 게 싫었던 거겠지. 분명 너를 위해서 그런 게 아닐 거다. 넌 그놈한테 적당히 쓸 만한 병장기 그 이상도 이하도 아냐."

"함부로 말하지 마. 당신이 뭘 알아."

"알고말고. 난 너보다 훨씬 더 오랜 세월을 그 자식이랑 보냈어."

이윽고 남자가 표정을 풀고 설득하듯 달콤하게 말했다.

"나는 달라. 난 네가 특별한 존재라고 생각한다. 인간과 같은 감각을 느낄 수 있고 인간처럼 사고할 수 있는데 인간으로 취급해주지 못할 이유는 또 뭐지? 내가 그 자식이었다면 당장 너에게 시민권을 발급하는 방안부터 추진했을 거다. 도시를 위해 헌신하는 넌 이곳의 국민이 될 자격이 충분하니까."

시민권을 준다니. 그 말은 풀어서 설명하자면 이 나라의 국민으로서 누릴 수 있는 모든 권리를 준다는 뜻이었다. 한 번도 상상해 본 적 없는 일이라 레비의 동공이 가볍게 흔들렸다. 그러나 레비는 기어드는 목소리로 입을 열었다.

"전…… 지금 생활도 만족해요."

"웃기지 마. 누군가의 허가가 없으면 밖으로 나가지도 못한 채 창고 안에 보관된 병장기처럼 가지런히 자리나 지켜야 하는 삶이 뭐가 좋다고."

남자의 말이 이어졌다.

"레비. 넌 지구 바깥에서의 기억이 없다고 했지. 너한테는 군이 고향처럼 느껴질 테니 네가 그러는 것도 이해가 돼. 넌 자유를 맛본 적이 없으니까."

"……"

114   황민지

"그러니 잘 생각해라. 네가 있을 곳은 군이 아냐. 우리는 조만간 우주로 갈 거다. 집도 없고 최소한의 인권도 없는 버림받은 자들을 끌어모아서, 적당한 행성에서 새로운 보금자리를 만들 거야. 힘든 여정이겠지만 네가 함께한다면 할 만하겠지."

길드로 들어와라. 남자가 조금은 간절하게 말했다.

"하지만 길드는 범죄자 소굴이잖아요."

"우리는 민간인을 해치지 않아. 그저 정부에 대항하는 혁명군일 뿐이야. 믿을 수 없다면 지금 당장 납치한 학생들을 놓아주마. 정부군 놈들이 널 간편하게 조종하기 위해 거짓된 프레임을 씌운 거라고."

레비는 남자의 말을 들을수록 혼란스러워졌다. 정말일까. 지금 들은 얘기가 모두 사실이라면…… 정부군은 좀처럼 믿을 수 없는 존재였다. 거짓말쟁이는 누구일까. 어쩌면 둘 다일지도 몰랐다. 지구에 떨어진 지 얼마 안 된 자신은 조종하기 손쉬운 상대였으니까. 머리가 아팠다.

"정부는 말로는 국민을 위한다고 지껄이지만 막상 하는 짓은 실속 없지. 그놈의 우주탐사 프로젝트…… 저기 길바닥에선 당장 쌀 한 톨이 없어서 굶어 죽고 있는데 문명의 발전이니 숭고한 지식의 탐구니 그딴 게 다 무슨 소용이냐. 나 같으면 그럴 돈으로 당장 외곽도시에 빈민 구호소나 세웠을 거다."

남자의 말이 무자비하게 이어졌다. 지금껏 알던 상식이 파괴되는 기분이었다. 혼란스러웠다. 레비는 일단 자신이 해야 할 일을 하기로 했다. 어쨌거나 지금 당장으로선 아무것도 결정할 수 없는 문제였으니.

"우선 학생들을 놓아주세요. 아무 잘못 안 했잖아요."

"그래. 오늘은 이쯤에서 물러나도록 하지. 이 얘기를 전달한 것만 해도 큰 수확이라 할 수 있으니."

남자는 그러곤 정말로 떠나버렸다. 레비의 머릿속에 수많은 의문을 남겨놓은 채.

* * *

한동안 레비는 좀 바빴다. 유적지에서의 사건을 보고하고 정리하고, 망가진 다리를 수리하러 한동안 첨탑에 들락날락하는 것만으로도 할 일이 많았다. 얘기를 들어보니 레비가 있던 곳뿐만 아니라 다른 지역에서도 꽤 격렬한 대치가 일어난 듯했다. 이번 사건으로 길드의 위험성에 더더욱 경종이 울리게 된 셈이었다. 레비는 남자와의 대화 내용에 대해선 구태여 이야기하지 않았다. 머릿속에 들어찬 의문을 홀로 품은 채 그렇게 시간이 쏜살같이 흘러갔다. 그러

황민지

던 어느 날 현성이 레비를 집무실로 불렀다.

"레비. 지난번에 큰 공로를 세웠지."

레비는 저번 유적지에서의 전투를 떠올렸다. 확실히 조금 힘들긴 했다.

"그러고 보니 네가 온 지도 이제 햇수로 5년째군."

"……."

"항상 고맙다. 레비."

순간 레비의 가슴이 무겁게 흔들렸다. 자신이 듣기엔 지나치게 다정한 말이었다. 없는 심장이 아프게 느껴질 정도로. 그렇지만 동시에 얼마 전 유적지에서 들은 말이 자꾸 머릿속에 겹쳤다. 현성이 언젠가 자신을 버릴 거라던……. 레비는 이내 고개를 저었다. 자신은 누가 뭐라 해도 충직한 부하 대원이었고 현성은 저를 이곳에 있게 해준 은인이었다.

"원하는 걸 말해봐라. 들어줄 수 있도록 힘써주마."

"뭐든지 괜찮나요?"

"상식으로 용납되는 선이라면."

"저는……."

레비의 입술이 작게 달싹였다.

"시민권을 받고 싶어요."

레비는 길드 출신의 그를 떠올리며 말했다. 말을 마친 레비의 주먹이 긴장으로 꾹 쥐어졌다. 그간 시키는 일만 얌전히 했지, 무언가를 하고 싶다고 제 입으로 말하는 건 처음이었다. 지구에 오자마자 적대 당한 기억이 강하게 남은 탓이었다. 자신은 절대 해를 끼치지 않는다고. 최대한 순종적인 모습을 보이며 사람들과 잘 지낼 수 있다는 걸 끊임없이 증명해야 했으니까.

그리고 이건 일종의 테스트기도 했다. 현성은 과연 제 부탁을 어디까지 들어줄 수 있을까. 레비는 증명하고 싶었다. 그 남자가 했던 말은 전부 거짓이라고. 사실이 아니라고. 그간의 유대를 생각하면 이 정도는 어려운 부탁이 아닐 터였다. 남자의 말마따나 도시를 위해 헌신하는 자신을 이 나라의 일원으로 받아들이지 못할 이유가 없었으니까. 그러니, 충분히 가능하다. 시민권이 생길 거다. 한때 자신의 폐기냐 공생이냐를 다투었던, 처음 눈을 뜬 이후로 줄곧 고향같이 여겨졌던 이곳에서 비로소 그 길고 길었던 자격 검증에 종지부를 찍을 것이다. 레비가 약간의 설렘을 안고 이어질 말을 기대했다. 몇 분처럼 느껴졌던 몇 초가 흐르고 마침내 현성이 입을 열었다.

"안돼."

돌아온 대답은 단호했다. 예상과 다른 상황에 레비가 얼떨떨한 얼굴로 고개를 들어 올렸다.

황민지

"어째서죠? 시민권을 받고 싶다는 게 비상식적인 요구는 아니지 않나요."

"넌 로봇이잖아. 사람들이 반대할 거다."

순간 팽팽하게 회전하던 레비의 머릿속이 퓨즈가 끊긴 듯 멈췄다. 로봇이라서. 로봇이니까. 현성은 지금 자신이 로봇이라는 이유로 시민권을 줄 수 없다고 말하고 있었다. 자신이 얼마나 순종적이고 유순하게 굴든, 얼마나 임무를 잘 수행하고 도시를 위해 헌신하든 상관없다는 것이다. 레비는 떨리는 목소리로 반박을 시도했다.

"……왜 반대하죠?"

"인간도 아닌 네가 자기들과 같은 권리를 누리는 게 싫은 거지."

"그렇지만 전 인간이랑 아주 비슷한걸요."

평소 같으면 안 된다는 말에 물러났겠지만 레비는 조금 더 떼를 써보았다. 평생 무언가를 바라본 적이 없던 레비에게는 부탁을 거절당하는 것도, 실망이라는 감정조차도 전부 생소한 경험이었다. 처음 느껴보는 상실감이 레비의 안을 휩쓸었다. 잔뜩 고조된 감정은 거칠게 날뛰다가 이내 가슴께를 쿵쿵 치고 지나갔다. 심장이 없는데도 가슴이 뛰는 기분이었다.

"그래서? 네가 시민권이 있어야 하는 이유가 뭔데. 설명해 봐."

현성이 훅 들어오듯 말했다. 레비는 순간 당황했지만 떨지 않고 말하기 위해 단전에 힘을 주었다.

"임무 중 만난 피아니스트가 절 공연에 초대해줬어요. 세상에서 가장 위대한 음악이자 소울의 랩소디인 재즈를 들으러 오라고 했는데, 가지 못했죠."

"······."

"시민권이 있으면 그런 곳도 제 마음대로 방문할 수 있고······."

현성의 표정이 풀리지 않자 레비가 재빨리 변명하듯 덧붙였다.

"정식으로 월급을 받을 수도 있고. 돈을 모아서 사고 싶은 걸 살 수도 있고."

레비가 빠르게 말했다.

"친구한테 선물을 해줄 수도 있고. 물론 전 친구가 없긴 하지만요. 아, 물론 그게 중요한 게 아니고 시민권이 있으면 앞으로 더 많은 사람을 만날 수 있을 테니까······ 아니, 시민권이 생기면 꼭 그러겠다는 게 아니라, 밖에 자주 나갈 수 있다면 저절로 그렇게 될 거 같아서, 그러니까······."

레비의 언어가 점점 더 횡설수설 변해갔다. 레비는 말을 하면서도 자신이 무슨 말을 하고 싶은지 헷갈렸다. 시민권

황민지

을 받아야 하는 이유라……. 실은 잘 모르겠다. 시민권으로 그다지 하고 싶은 일도 없었다. 시민권이 있으면 어떤 점이 좋은지도 모른다. 애초에 시민권 자체가 중요한 게 아니었다. 그저 인정받고 싶은 생각이었다. 도시를 위해 헌신하는 제 노고를, 사람들과 이질감 없이 어울리고자 하는 노력을, 군을 아끼고 그들의 가족이 되고픈 마음을.

레비는 사람들이 자신을 폐기하지 않고 군에서 일할 수 있게 해준 건 일종의 시험이라는 사실을 알았다. 시민권을 얻는 것은 시험의 합격을 의미한다고, 레비는 생각했다. 사람들이 레비에게 시민권을 준다는 것은, 레비가 그들의 일원으로 받아들여졌다는 뜻일 테니까.

레비는 그러한 생각을 잘 정리해서 말하고 싶었으나 정작 입에서 나오는 말은 제가 생각해도 한심하기 짝이 없었다. 레비가 그렇게 한창 갈피를 잡지 못하고 헤맬 때였다. 현성이 더 이상 못 듣겠다는 듯 말을 끊고 싸늘하게 말했다.

"결국 전부 네 이익과 만족을 위해서잖아."

"……."

"그게 도시의 모든 규칙과 정치적 반대를 어기고 너한테 시민권을 줘야 할 만큼 가치가 있나?"

"하지만……."

"정부군은 시민들의 안전과 행복을 위해서 불철주야 노력하고 있어. 내가 모두의 반대를 무릅쓰고 널 군으로 데려온 것도 네가 군에 도움이 된다고 생각해서다."

현성의 말이 다시금 이어졌다.

"그런데 너는 임무에 집중하지는 못할망정 자유롭게 돌아다니고 싶다는 헛된 공상이나 품고 있군."

"……."

"그게 널 폐기하지 않고 거두어 준 군에 대한 보답인가?"

마지막 쐐기였다. 레비는 더 이상 할 말이 없었다.

"저, 제가 시민권이 있으면 더 열심히 일할 수 있어요!"

"글쎄. 시민권이 생긴다고 일머리가 올라가는 것도 아니고. 오히려 자유 운운하며 게으름이나 피우는 안 좋은 버릇만 생기겠지."

현성의 말은 하나하나가 날카로웠다. 레비는 당황해서 느리게 눈을 끔뻑였다. 물론 현성이 탐탁지 않아 할 수 있다고 생각하긴 했다. 하지만 진심을 다해 설득한다면 가능할 거라 믿었다. 분명 자신을 아낀다고, 소중한 부하이자 동료로 여기고 있다고. 현성은 그렇게 말해주었으니까. 하지만 정작 닥쳐온 현실은 기대와는 많이 달랐다. 결국 레비는 고개를 푹 숙였다. 그 와중에도 기계 부품으로 이루어진

황민지

몸은 눈물 한 방울 흘려내지 못했다. 이렇게 슬픈데도. 비아냥을 당한 것보다 그 사실이 슬퍼 레비는 가늘게 몸을 떨었다. 로봇이라서. 자신이 인간이 아니라는 사실이 제 모든 괴로움의 원인인 것 같았으니까.

"물론 네 심정은 이해한다. 하지만 달콤한 권리에는 그만큼의 책임이 따르는 법이지. 지금의 네가 감당할 수 있는 영역은 아니라고 생각한다. 넌 충분히 똑똑하지만 이 점은 아직 이해하지 못한 것 같군."

현성은 그렇게 말하고 레비를 내보내려 했다. 레비는 무시하고 가만히 서 있었다. 턱 끝까지 차오른 말이 있었다.

"왜 그러지?"

"대장은 제가 인간도 아니면서 인간과 같은 권리를 누리는 게 문제라고 하셨죠."

"그래."

"저는 인간처럼 생각할 수 있고 많은 걸 할 줄 알아요. 그런데도 단지 로봇이라는 이유 하나만으로 같은 권리를 누리면 안 되나요?"

억울했다. 하필 로봇으로 태어나서. 자신도 피와 살로 이루어진 육신이 있다면 좋았을 텐데. 아니면 차라리 다른 로봇처럼 프로그래밍 된 대로만 행동하는 깡통 같은 존재였다면 좋았을걸. 레비는 생각했다. 인간처럼 사고한다는

안드로이드 걸

건 인간의 감정을 느낀다는 것이고, 인간의 감정을 느낀다는 건 결국 인간과 비슷한 욕망을 지닌 채 살아갈 수밖에 없는 거라고. 그러나 현성은 레비의 몸이 기계 부품으로 이루어졌다는 이유만으로 그 모든 걸 간과했다. 이런 건 고철 덩어리 안에 인간의 영혼이 갇혀있는 것이나 다를 바 없었다. 저주 같은 일이었다.

"그 이상 주제넘은 소리는 그만 해라, 레비. 내가 널 챙겨주는 건 네가 말 잘 듣고 똑똑한 로봇이기 때문이지, 사람과 비슷해서가 아니니까."

"……."

"그리고 네가 시민권을 받는다고 해도 네가 원하는 대로 살아갈 순 없을 거다. 넌 애초에 전쟁을 위해 쓰이게끔 설계된 로봇이잖아."

현성이 날카롭게 말하자 레비는 다시금 상처받았다. 이제는 현성이 저런 말을 꺼낸 이유가 정말 그렇게 생각해서인지, 아니면 자신을 일부러 상처 주기 위함인지조차 구별할 수 없었다. 적군이 쏜 총알보다 지금 현성의 말 한마디 한마디가 더 아프게 느껴진다는 사실이 믿기 힘들었다.

그러다 불현듯 생각이 어느 하나에 닿았다. 맞은 만큼 때려라. 병법의 기초였다. 갑자기 왜 이런 게 떠올랐는지는 모르겠지만 참으로 매력적인 말이라고 생각했다. 따지고

황민지

보면 말다툼도 일종의 전투가 아닌가. 레비는 여태껏 전투에서라면 누군가에게 패배해 본 적이 없었다. 그렇다면, 현성을 이기는 것도 가능할까. 평소라면 상상도 하지 못했을 일이었다. 레비의 머리가 전장에서처럼 빠르게 회전했다.

"전부 무의미한 반항이다. 이제 그만해. 애초에 우리가 왜 이깟 주제로 논쟁해야 하는지도 이해가 안 되는군."

"……그럼 그 인간을 정의하는 기준은요?"

"갑자기 그런 걸 왜 묻지?"

현성이 의아한 눈길로 쳐다봤지만 레비는 무시하고 말을 이었다.

"제가 인간이 아닌 이유는 몸이 기계 부품으로 이루어져서 그런 건가요? 그런 단순한 기준도 인간을 판별하는 기준이 될 수 있을까요?"

"……."

"그럼 신체를 기계로 바꾼 인간은요? 몸을 기계로 바꾼 순간부터 더 이상 인간이 아니게 되나요?"

"……."

"그럼 반대로 평범한 인간의 몸에 개나 고양이의 뇌가 이식되면요? 인간처럼 말하지도 못하는 생물체를 사람이라고 불러도 되는 걸까요? 적어도 제가 책에서 배운 인간은 그런 게 아니었는데요!"

레비는 자신을 인간으로 취급해달라고 말하기 위한 논리를 차근차근 진척했다. 말을 하면서도 점점 생각이 정리되는 걸 느꼈다. 로봇이라서 안 된다면…… 인간이 되면 된다. 기이할 정도로 오기가 샘솟았다. 현성은 그동안 아무 말도 하지 않았다. 그걸 보고 레비는 가능성이 있다고 생각했다. 그러나 레비가 간과한 것이 있었다. 지금 자신은 지나치게 흥분한 상태라는 걸. 현성과의 말다툼을 전투라고 인식한 탓에 승리해야 한다는 세뇌된 본능만이 레비의 머릿속을 가득 채웠다. 그러다 결국 생각이 거기까지 닿았다. 레비는 별다른 필터링 없이 생각나는 대로 내뱉었다.

"그럼 대장의 애인은요?"

레비가 현성의 여자친구를 떠올리며 말했다. 열사병으로 식물인간이 되어서 벌써 7년째 병실에 누워있다는 걸 레비도 알았다. 건드려선 안 될 영역이었지만 감정이 격앙된 레비는 그런 것까진 판단하지 못했다. 그 탓에 순간 달라진 현성의 분위기를 눈치채지 못하고 레비가 말을 이었다.

"잘 씻겨진 인형처럼 얌전히 누워서는 말하는 것도 움직이는 것도. 심지어 단순히 생각하는 것조차 자유롭게 못 하고, 돌봐줄 사람이 없으면 혼자선 살아가지도 못하는 그 여자보단 차라리 제가 더 사람 같은—"

그 순간이었다. 문장이 채 완성되기도 전에, 뺨을 때리는

황민지

타격음과 함께 레비의 고개가 돌아갔다. 아프진 않았지만 무척이나 아찔했다. 그대로 잠시 시간이 멈춘 듯한 적막 속에서 레비가 천천히 고개를 들어 올려 현성을 보았다. 현성은 생전 처음 보는 표정으로 자신을 보고 있었다. 그제야 레비는 자신이 무슨 짓을 저질렀는지 깨달았지만 엎지른 물이었다. 무겁게 침묵이 흘렀다. 그 속에서 레비가 끝내 눈을 마주치지 못하고 고개를 숙이는 것을 마지막으로 현성이 등을 돌렸다. 소리 없는 축객령이었다. 그렇게 레비는 집무실을 나왔다.

* * *

공기가 차갑게 내려앉은 늦은 오후. 레비는 보고 없이 기지를 나와 말없이 걸었다. 현성의 말을 몇 번이고 곱씹은 후, 레비는 깨달을 수 있었다. 처음부터 잘못된 판단이었던 거다. 사람들과 잘 지낼 수 있다는 걸 증명한다고 그들 무리에 섞일 수 있는 게 아니었다. 그들에게 자신은 성능 좋은 도구였다. 그러니 시민권 따위를 줄 리 없었다. 시민권이 없는 이의 자유가 엄격히 통제되는 이곳에서, 누군가를 마음대로 다루려면 그편이 수월할 테니까. 길드 출신의 그가 약속된 시민권을 받지 못한 채 이용당한 것과 같은 원리였다. 결국 그의 말이 틀렸다는 사실을 증명하는 데 실패하고 말았다. 레비는 쓰게 입꼬리를 올렸다.

생각 없이 걷던 레비는 어느덧 외곽도시의 공원 같은 곳에 도착했다. 벽돌로 깔끔하게 바닥이 깔렸고 한가운데엔 커다란 분수 같은 조형물이 놓여있었다. 레비는 비슷한 걸 TV에서도 본 적이 있었다. 꼭 중앙도시의 오케스트라 홀 앞에 위치한 분수대를 보는 것 같았다. 레비는 좀 더 가까이 다가갔다. 바닥에 설치된 핀 조명에서 형형색색의 빛이 뿜어져 나오며 레비를 반겼다. 중앙도시의 것과는 비교도 안 될 만큼 단출했지만 그래도 예뻤다. 레비가 그걸 넋 놓고 한참 동안 바라볼 때였다. 한쪽에서 어린 소년이 해맑게 튀어나왔다. 레비보다도 키가 작은 아이였다.

"조명은 내가 설치한 거야. 볼 만하지?"

아이는 그렇게 말하곤 눈을 반짝이며 레비의 반응을 살폈다. 꼭 칭찬을 바라는 것 같았다.

"응."

"그게 끝이야? 싱겁게."

소년이 과장된 몸짓으로 입술을 삐죽거렸다. 레비는 소년이 장난치고 있다는 걸 알면서도 조금 당황했다. 볼 만하냐는 질문에 그렇다고 대답했으면 된 거 아닌가. 자신이 싸움만 잘했지, 사람을 상대하는 일은 젬병이었다는 사실

황민지

을 체감하며 레비는 다시 말했다.

"엄청 예뻐."

"반응이 로봇 같아."

소년이 장난스럽게 말했다. 로봇한테 로봇 같다니. 꼬맹이 주제에 정확히 봤다. 웃기기도 하고, 한편으론 인간과 구별할 수 없는 외형을 가져놓고도 결국엔 이런 말을 듣는구나 싶어서 씁쓸한 마음이었다. 소년이 레비의 미묘한 기분 변화를 눈치챘는지 말을 돌렸다.

"사실 난 모르는 사람한테는 말을 걸지 않아. 방금은 레비를 다시 한번 마주치고 반가워서 그랬어."

소년이 싱글싱글 웃으며 얘기를 시작했다. 무슨 말을 하는가 들어보니 접때 레비를 만나 목숨이 구해진 적이 있다는 얘기 같았다. 사실 레비로서는 기억이 가물가물한 일이었지만, 아무튼 그 말대로라면 소년은 자신의 이름도 정체도 이미 알고 있던 셈이었다. 그거라면 소년이 아까 그런 장난을 친 것이 이해됐다.

"레비가 아니었다면 지금 이렇게 있는 것도 불가능했겠지. 다시 한번 고맙다고 말하고 싶어."

고맙다고. 레비는 잠시 대답을 망설였다. 평범한 감사의 말이었지만 그날따라 뭐라 반응하기가 힘들었다. 그런 레비를 소년이 묘한 눈길로 쳐다봤다. 결국 레비는 우물쭈물

하다 입을 열었다.

"뭐가 고마운데?"

"어?"

"왜 고맙다는 인사를 나한테 하지? 난 그저 명령을 수행한 것뿐이야. 그게 아니었다면 애초에 널 구할 생각도 없었어."

말이 조금 날카롭게 나와버렸다. 까칠하게 굴 생각은 없었는데. 레비는 저도 모르게 튀어나온 날 선 말에 당황하면서도 한편으론 그런 기색 없이 말하기 위해 목소리에 힘을 실었다.

"감사 인사는 군인들한테나 해. 그 사람들이 날 조종해서 널 구한 거니까. 고맙다는 말은 용사님에게나 하면 됐지, 굳이 용사의 엑스칼리버에 감사를 표할 필요는 없잖아?"

레비는 거기까지 얘기하고 말을 멈췄다. 소년의 얼굴이 멍해지는 것이 보였다. 그러고 보니 소년은 그저 고맙다고 얘기한 것뿐인데. 레비는 좀 오버했나 싶었지만 쏟아진 말을 주워 담을 순 없었다. 결국 소년에게 화풀이한 셈이 됐다. 잠깐 어색한 침묵이 흘렀다. 이윽고 소년이 조심스레 말을 꺼냈다.

"난 태어나서 로봇이었던 적이 한 번도 없어서 레비의 마음을 완전히 이해하진 못하겠어. 하지만……."

황민지

소년의 말이 이어졌다.

"레비는 레비 자체로 충분히 멋지고 훌륭하다고 생각해. 힘도 세고, 몸도 튼튼하고, 사람들을 지키니까. 그때 레비가 날 구해준 건 변치 못할 사실이고 고맙게 생각해."

레비가 가진 고민거리를 눈치채고 나름대로 위로해 준 것 같았다. 아무 말도 하지 않았는데 속이 꿰뚫린 기분이었다. 머쓱했다. 레비는 애꿎은 땅만 발로 툭툭 건드리며 말했다.

"그래?"

"응. 레비는 사실 무뚝뚝하고 말투도 딱딱하고 성격도 재미없는 면이 있긴 하지만."

"……."

"그래도 내가 설치한 핀 조명이 예쁘다고 말해줬잖아."

소년이 싱글싱글 웃다가 이내 진지하게 말했다.

"예쁜 걸 예쁘다고 느낄 줄 아는 건 좋은 일이야."

"……."

"우리 가족들은 왜 나더러 쓸데없이 이런 걸 하느냐고 그랬거든. 도시의 경관을 위해 헌신하는 날 아무도 칭찬해 주지 않아…… 조금 슬펐어."

"……."

"그에 비하면 레비는 여기 사람들보다 훨씬 나은 셈이

안드로이드 걸

지!"

소년이 레비를 향해 엄지를 치켜세웠다. 레비는 저도 모르게 피식 웃었다. 생각해 보니 사람보다 낫다는 말을 들은 건 처음이었다. 비록 처음에 듣고 싶었던 말과는 거리가 있었지만 이편도 나름대로 나쁘지 않은 것 같았다. 레비는 고개를 끄덕이곤 소년에게 감사의 인사를 건넸다. 덕분에 조금은 기분이 나아졌다.

"어떤 결론을 내리든 행운을 빌게. 레비!"

레비가 떠날 낌새를 눈치챘는지 소년이 맑게 웃으며 그렇게 말했다. 흔하디흔한 축복의 말이었지만 고마웠다. 레비는 그 길로 소년에게 미소를 지어주며 자리를 떠났다.

* * *

탈출과 일탈은 한 끗 차이다. 예를 들어서, 학생이 학교를 뛰쳐나가는 것은 주입식 교육을 강제하는 공권력의 억압으로부터 탈출하는 행위가 될 수도 있고, 혹은 학생의 의무를 외면한 채 사회적 규범에서 벗어나는 일탈 행위가 될 수도 있다. 사람들은 전자에는 환호를 보내고 후자에는

황민지

비난을 보내는 경향이 있다. 다른 말로 설명하자면, 탈출을 막으면 나쁜 놈이지만 일탈을 막으면 착한 놈인 것이다. 둘 다 정해진 어떠한 영역에서 빠져나오는 행위인 것은 동일한데 말이다. 레비는 문득 궁금했다. 지금 자신이 하는 행동은 탈출일까, 일탈일까.

지잉-

격납고의 문이 열렸다. 평소엔 굳게 닫혀 있지만 훔쳐 온 마스터키로 문을 열 수 있었다. 보안장치가 해제되고 문이 열리자 입구에서부터 순차적으로 조명이 들어왔다. 즐비한 로켓 차량이 눈에 들어왔다. 서리가 내리는 새벽. 지금 레비가 들어온 이곳은 군사 기지 외부에 위치한 비행 차량용 격납고. 특히 그중에서도 행성 탐사를 목적으로 특별히 설계한 것들이 있는 곳. 여기 있는 차량을 딱 하나만 팔아치워도 중앙도시 입주권을 수백 장은 살 수 있다. 다른 사람이었다면 세속적인 욕망 따위로 눈이 돌았겠지만 정작 공간에 있는 레비는 그 어느 때보다도 차분한 모습이었다.

주위를 스캔한 레비가 눈에 띄는 차량을 아무거나 골라 조종석에 올랐다. 문을 탕, 하고 닫자 비로소 비행 차량을 탈취한 것이 실감이 났다. 계기판을 조작하자 차량에 시동이 걸렸다. 떠난다. 고향 같은 지구를 떠나 우주로 갈 것이

안드로이드 걸

다. 조종 핸들을 붙잡은 레비의 손이 긴장으로 작게 떨렸다. 내키는 대로 여러 행성을 돌아다니고, 여러 종족을 만나며 견문을 쌓고. 그러다가 어쩌면 진짜 부모를 만날지도 모르겠다. 물론 여행의 가장 중요한 목적은……

'나를 찾기 위한 여행.'

레비가 속으로 되뇌었다. 자신은 무엇을 하기 위해 태어났나. 어떤 존재로서 이 세상을 살아가야 하나. 로봇인 주제에 인간의 마음을 지니고 있어 늘 혼란스러웠던 지난날을 떠올리며 레비는 자신의 존재를 정의하기 위한 여행을 시작하기로 했다. 오래전 눈을 뜬 순간부터 줄곧 품고 있던, 태초의 질문을 해결하러 갈 시간이었다. 레비의 머릿속에 잠시 지구에서 만난 여러 얼굴이 스쳐 지나갔다. 지구를 떠나있는 동안은 볼 수 없겠지. 단단하게 마음먹은 레비가 차를 움직였다.

이윽고 출입문이 열리자 격납고를 빠져나와 활주로를 미끄러지듯 질주하던 차가 하늘로 떠올랐다. 혼자서 비행 차량을 운전하는 건 처음이었지만 레비는 제법 능숙하게 계기판을 조작했다. 그러다 차량이 어느 고도에서 멈춰 섰다. 유리창 밖으로 작아진 도시의 모습이 보였다. 효율적으로 지어진 회색 빌딩숲, 저 멀리 희끗희끗 보이는 거대한 첨탑. 레비는 그 모든 것을 오래오래 눈에 담았다. 언젠가는 다시 그리워질지도 모르니까. 그리고 자신이 방금 떠나온 군사 기지.

"……."

레비의 시선이 잠깐 그쪽을 향해 멈췄다. 저 안에 현성이 있을 것이다. 자신이 말도 없이 사라졌을 때 그가 어떻게 반응할지 궁금했지만 그걸 확인할 방법은 없었다. 그렇지만 분명 잘 지내리라 생각했다. 그렇게 결론지은 레비가 미련 없이 고개를 돌렸다. 그와 동시에 레비를 태운 로켓 차량이 더 높은 하늘로 진격했다.

끝없이 올라가면서 레비는 생각했다. 예전부터 느낀 거지만, 뭐가 그렇게 처음 경험하는 것들이 많았는지. 지구 바깥의 기억도 잃어버리고 낯선 행성에 떨어진 자신은 어린아이 같은 존재였다. 모르는 것도 처음 보는 것도 참 많았다. 자신이 군사 기지를 고향처럼 여기며 눌어붙은 것도 이해가 됐다. 레비는 생각했다. 갓 태어난 새끼동물이 처음 본 이를 어미로 생각하듯, 자신도 저를 처음 품어준 이들을 가족으로 생각할 수밖에 없었다고. 그렇게 길들여진 것이다.

그 와중에도 온갖 병장기를 사용하고 격투술로 적을 제압하는 일만은 몸에 각인된 듯 익숙했다. 문득 현성의 말이 떠올랐다. 자신은 애초에 전투용으로 설계된 로봇이기에 평범하게 살 수 없을 거라던.

'그 말이 맞을지도 몰라.'

하지만 레비는 더 이상 우울하지 않았다. 아무렴 어떠냐는 생각이었다. 이제부턴 마음대로 하기로 했으니까. 탈출이든 일탈이든 뭐든 좋았다. 뭐라고 정의하든 지구에서 눈을 뜬 이후 처음으로 제 의지를 가지고 행한 일이었다. 지금 이 선택을 후회할지 어떨지는 잘 모르겠다. 그렇지만 레비는 창밖으로 별하늘을 보았다.

"……"

처음 보는 별하늘은 참 예뻤다. 공원에서 만난 소년에겐 미안한 말이지만 그때의 핀 조명과는 비교도 안 될 만큼. 처음 맛보는 자유는 생각보다도 더 달고, 짜릿했다. 그 사실을 체감하며 레비는 얼굴 가득 미소를 담았다.

황민지

작가노트

"세상 모두가 저마다의 이유로 힘들겠지만, 그 힘듦의 무게가 같진 않을 것이다."

제시된 문장을 보고 가장 먼저 떠오른 생각이었습니다. 새벽이 힘든 이유가 누군가는 이불 밖으로 나가기 싫어서일 수도 있고, 또 다른 누군가는 이 세상을 살아가는 게 힘들어서, 하루가 또다시 찾아왔다는 사실이 괴로워서일 수도 있을 테니까요. 이러한 생각을 바탕으로 소설의 첫 장면이 머릿속에 그려졌습니다. 하루하루를 괴롭게 버티는 공장 노동자. 불쌍하다는 생각이 들었어요. 구해주고 싶었습니다. 남자를 구할 영웅을 등장시키기 위해 히어로 캐릭터를 구상하기 시작했고, 그렇게 전투용 안드로이드 '레비'가 탄생했

황민지

습니다. 본래는 공장 노동자를 주인공으로 한 이야기를 구상할 생각이었는데, 별안간 '레비'에 대한 글을 쓰고 싶어진 바람에 다 뒤엎어 버리느라 처음과는 많이 달라진 내용이 되었네요. 어찌 보면 과정이 뒤죽박죽이지만 그래도 즐겁게 집필했던 것 같습니다.

끝으로, 이 책을 읽어주신 분들과 책 기획에 참여해 주신 모든 분께 감사 인사를 전합니다. 가끔은 새벽이 너무 버겁다는 생각이 들더라도 금방 이겨내고 행복하시길 바라겠습니다. 감사합니다. 행복하세요!

섭라전설

아침이 오기 전 새벽은 누구에게나 힘들다. 섭라(涉羅)의 토박이 중에 이 말을 가슴 속에 품지 않은 자가 없었다. 이젠 몇 명 남지를 않았다는 게 문제지만 말이다.

그런 현실을 다시 상기하며, 섭라의 토박이 중 하나인 돌멩이는 풀숲에 엎드린 채 입을 오른손으로 가리고 최대한 숨소리를 죽였다. 조용히 풀숲에 엎드린 이유는 두 가지 있었다. 자신을 짐승이나 추적자들이 발견하지 못하기를 바람이었고, 둘째는 지금 자신의 눈앞에서 완전히 무너진 건물의 파편에서 몸을 조금이나마 보호하기 위함이었다.

낡긴 했지만 그래도 꼴에 건물이라고 무너지려면 몇 년은 족히 걸리리라는 판정받은 복층 짜리 그것이었다. 그러

강태경

나 지금은 복층은커녕 완전히 주저앉아 널브러진 파편 더미에 지나지 않게 되었다. 산 중턱에 누군가가 별장인지 쉼터인지 만들어 놓아 숲속보다야 아늑한 공간이었기에 은신처로 쓰던 곳이었다. 도망자 신세에 이런 호사를 누려도 되나, 하고 일주일 정도 여유를 부렸다. 정확히 추적자들을 발견하기 전 말이다. 눈에 보인 것만 대략 3명이었다. 언젠간 닥칠 상정 내의 상황이긴 했지만, 막상 실행하려니 우려가 앞섰다. 계획대로 할 수 있을까? 만약 저들이 간파하고 있다면? 만약 내 유도대로 움직여주지 않는다면? 만약 장치가 잘 작동하지 않으면? 만약 내가 빠져나가지 못한다면? 온갖 가정이 붙은 불안이 꼬리에 꼬리를 물고 이어지니 머릿속 뇌세포가 하나하나 파괴당하는 기분이 들었다. 결국 내린 결론은 일단 해보고 운에 맡기는 것이었다.

　계획은 간단했다. 어차피 저 추적대는 돌멩이를 사냥하기 위해 건물을 샅샅이 수색할 것이다. 사냥감은 그저 건물에 역으로 덫을 조금 쳐놓을 뿐이었다. 구조 자체가 산 중턱에 지은 집인지라 누각(樓閣)처럼 주춧돌과 마루 사이 기단부가 상당히 높은 구조였다. 돌도끼로 나무 기둥 밑부분을 반쯤 쪼개 놓았다. 워낙 오래된 데다가 이미 벌레가 먹어서 부수는 데 그다지 힘을 들이진 않았다. 그리고 유리가루 먹인 연줄을 감아 쭉 이어 대청마루 문고리에 감아놓았다. 문을 여는 순간 기둥이 갈리게 말이다. 그럼 순식간에 집이 무너지리라.

돌멩이가 미리 파놓은 땅굴로 멀리 나와 풀숲에 몸을 눕히고 지켜보니 과연 얼마 안 가 추격대가 집을 둘러싸는 광경이 보였다. 총 9명, 조용한 처리를 위해서인지 아니면 불필요해서였는지 냉병기로 무장하고 있었다. 한동안 집을 둘러싸고 대문 안을 힐끗거리더니 우르르 안으로 들어갔다. 여기까진 돌멩이의 계획대로였다. 이제 시간과의 싸움이 시작되었다.

1분, 아직은 이르다.

2분, 슬슬 시작됐겠지.

3분, 이제 되었나.

4분, 슬슬 때인데….

5분, 왜 이리 늦지?

6분, 설마 실패……라고 의식이 흐르던 순간이었다. 촤악, 소리와 함께 주춧돌과 기둥이 분리되더니 갈 곳 잃은 기둥이 그대로 기기익, 하며 땅을 끌다가 그대로 자신과 한 몸같이 붙어있는 벽을 찢으며 쓰러졌다. 기둥, 벽, 지붕 모두 한 몸이었으나 이제는 아니었다. 한때는 혹한에서 손님을 제 속으로 들여 지켜주는 든든한 방패였으나 지금은 제 속의 손님을 짓뭉개버리는 흉기일 뿐. 층층이 먼지를

강태경

내뿜으며 가라앉아버리는 그 광경은 마치 괴물이 콧김을 내뿜으며 마계로 드는 장면과 같았다. 지붕이었던 것이 밑바닥이었던 것과 일체가 되고 나서 얼마 지나지 않아 비명도 끊겼다. 다 끝난 것만 같았다.

이 광경을 지켜보며 돌멩이는 자신의 계획이 성공했다는 희열이 솟아오르는 동시에 계획적으로 살생을 저지르고 말았다는 일말의 양심이 호소하는 소리가 맴돌아 자가당착에 빠지고 말았다. 갈피를 잡지 못한 사람이 할 수 있는 일은 그저 마음의 소리가 잦아들 때까지 가만히 있는 것뿐이었고, 그렇게 했다. 돌더미와 사람 사이의 몇 분간의 눈싸움이 벌어졌다. 먼저 변화를 일으킨 것은 돌더미였다. 명백히 신음이 들려온 것이었다.

'이래도 살아있다고?'

경악을 뒤로하고 돌멩이는 빨리 일을 끝내고자 하였다. 이 '모델'은 일개 열등인과는 다르다는 말을 그놈에게 귀에 못 박히게 들었지만 실제로 살아있는 꼴을 보니 자랑할만하다고 생각했다. 하지만 새삼 그놈을 생각하니 속에서 천불이 끓어올라 코와 귀에서 연기로 배출되는 듯했다. 그간의 원한을 담아 놈이 자랑스럽게 여기던 저 '모델'들의 숨통을 끊어주고자 했다. 가까이 다가가니 그저 집 문 근처에서 낙석에 대강 깔린 하나만 신음하고 있을 뿐 나머지는 신음은커녕 시체도 보이지 않았다. 이 하나의 숨통마저 끊고자 칼을 들고 다가가 뒤집혀서 안 보이는 이 청년의 얼굴을 들춰보았다.

그리고 깜짝 놀라 주저앉았다. 상상도 못 한 정체였다.

여성이었다. 다른 남성 대원처럼 온갖 장구류가 달린 조끼에 적당히 헐렁한 바지를 입고 있는 탓에 영락없이 남성인 줄로만 알았다. 그러나 고개를 들춘 순간 두드러지는 속눈썹과 결정적으로 상의가 찢어지며 육박해오는 곡선의 압박에 그만 아찔해져 돌멩이는 자신도 모르게 균형을 잃고 털썩 뒤로 넘어갔다. 끓어올랐던 살의가 그만 갈 곳을 잃고 어차피 제거해야 후환이 없다는 냉정한 이성과 생명은 당연히 보호해야 한다는 도덕적인 감성이 갈등하기 시작했다. 돌멩이 자신의 몸에 남겨진 이제껏 당해왔던 학대의 흔적이 시각을 통하여 뇌로 정보 처리되어 그간 있었던 과거의 편린을 기억해내자 머리가 급격히 차가워지며 이 더러운 똘마니를 당장 죽여야 한다는 강박에 휩싸였다. 하지만 새삼 아름다운 여인이 생명이 꺼져가는 광경을 보고 들으니 가슴이 급격히 뜨거워졌다. 혼자서 벌이는 투쟁이 격화되는 동안 정작 그 투쟁의 시발점은 생명의 불꽃이 사그라지고 있었다.

선택의 순간이 다가왔다. 돌멩이는 손을 쳐들었다.

강태경

사실이다! 그는 세상을 뒤집어 놓았다. 지금도 그렇다. 생명공학자로서 줄기세포를 이용해 재생 능력을 실현한 그 자, 뒤이어 유전자를 조작하는데 통달한 자, 인공생명체를 생산하는 데 성공한 자, 전문 분야에서 구축한 영역만 보 자면 상대할 자가 있겠는가. 그렇기에 그는 타자와 차별화 된 자신의 우월성을 진심으로 느끼곤 했다. 자신처럼 우월 한 유전자는 존재한다! 그렇기에 그는 우생학을 숭상했다.

이름까지 '뛰어날 준(俊)'을 쓰는 공 호준이니 자기애가 그야말로 넘치는 인물상이었다. 그는 자신의 이론을 세상 이 받아들어야 옳다고 믿었고 실제도 학계 공식 석상에서 공공연히 떠들고 다녔다. 불행하게도 공 호준이 생각하기 에 이 무지몽매한 결합품들은 그를 정신병자라고 매도했지 만 말이다. 덤으로 별명도 하나 지어졌는데 '어리석을 우 (愚)'를 써서 호우라는 것이다. 그는 이 불경함을 결코 잊지 않겠노라 다짐했다. 그는 그 결합품들을 비난하고 그 대로 모든 자료를 챙기고 사라졌다. 처음에는 모두 당황했 으나 곧 일탈은 잊혔다. 국가 첩보망에 섭라섬에서 기이한 일이 벌어지고 있다는 보고가 들어온 것이 그로부터 5년 후였다.

*

섭라에 밤이 찾아오고 온통 검은 물감을 풀어놓은 듯한 공간에 반딧불이 군체처럼 빛나는 원형 구역이 있었다. 그 구역 한가운데, 검은 어둠과 흰색 조명이 섞여 회색빛 원뿔을 만드는 방이 있었다.

섭라에 5년 만에 파견한 사신(使臣)단의 대표인 송 구밀이 머무는 방이었다.

그리고 그 방에는 그림자가 있었다. 너무나 깊고 어두워서 모든 것을 삼켜버리라는 의무를 부여받은 그림자였다.

그림자는 빛을, 섬을 삼켜버릴 것이다.

지금 밟은 온 사방을 삼켜버리리라.

그림자는 의무를 이행할 때가 무르익었다고 보았다. 뱃속의 칼날을 숨기고 혀에서 달콤한 꿀을 뿌려라, 그림자는 이행의 순간만을 기다리고 있었다.

허락을 기다리고 있었다.

*

강태경

중추부(中樞府)는 중앙의 행정관청 중에서도 군정, 군령, 군기, 숙위(宿衛)를 담당하므로 핵심 부서로 꼽혔다. 이날도 끊임없이 쏟아지는 국가방위에 관련된 사항에 관료들이 쓰러지던 일상이 반복되던 참이었다. 언제나 반복되는 보고서 처리가 질리기 시작할 즈음, 중추부 의장인 주 병옥은 여느 보고서 사이에 자연스레 껴있던 첩보를 발견하였다.

섭라 접촉 결과 첩보 보고

05.13 체탐인

1. 접촉 대상
■ 05.13. 공 호우
· 수제(공 호우 본인 주장) 인공생명체 2체와 만찬
· 잡일 담당 현지인 3인과 밀담

2. 기본 정보

■ 섬 관련 종합

· 면적: 22,082,500평

· 최대 고도: 6,270자

· 총인구: 10,560명

· 명칭 유래: 섬 정중앙 최고도 산에서 유래.

3. 관심사항과 접촉 결과

■ 사태 분석

· 자신이 이룬 성취나 재능에 대해 우월한 사람으로 인정 받으려는 욕망이 강함.

· 건강한 긍지보다는 병적 오만에 가까움.　　　　　.

■ 외교적 해결에 대한 전반적인 회의감

· 과다한 존경과 특혜를 요구하고 있음.

· 타인을 지속적으로 이용하고 착취하려는 경향이 강해 죄 책감 전무.

· 인공생명체 전원 협조성 전무.

· 전반적인 현지인 사이에 패배감 팽배. 간헐적인 무장투쟁 있으나 성과 미미함.

　　　　　　　　　　　강태경

■ 당면한 사태에 대한 처리 독촉

· 보고자 포함 온 파견 인력은 무력 사용을 포함한 모든 해결책을 제시 후 대기 중.

· 승인 허락 시 즉각 집행할 것.

인재를 잃는 건 아까운 일이었다. 하지만 인간은 반백 년 이지만 기술은 백 년은 거뜬한 법. 주 병옥은 승인 절차를 내리고 즉각 밀직사(密直司)를 호출하였다.

*

건물이 무너지는 순간 가-8은 저도 모르게 눈을 감았다. 연수로 3년도 채 되지 않는 한 인간의 인생이라 치기엔 지 나치게 짧은 생애가 끝날 듯한 상황에 놓이자 소문이 사실 임을 알게 되었다. 그간의 인생이 정말 눈앞에서 일대기처 럼 펼쳐지는 것이었다. 눈을 떴을 때부터 탄생의 축복이 아닌 결함 없는 8번째 생산품이란 칭찬을 받았다. 생산 번 호가 짝수였기 때문에 여자라고 결정되었다. 그녀는 시중을 들어주는 종자(從者)들과는 성장 속도가 다르다는 것을 생산된 지 1년쯤 되던 해에 인지하였고, 이유를 묻자 일명 창조자는 이렇게 답변했다.

"초기 모델인 너희는 생장일지 기록을 위하여 촉진제를 주사했다. 기대수명은 4년이 최대일 거다."

그리고 우월한 유전자로만 창조해줬으니 영광으로 알라는 말도 같이 들었다. 다른 형제자매들은 납득한 것 같았으나 가-8은 그러지 못했다. 하지만 티를 내진 않았다. 이 긴장감은 가-8이 가깝게 여겼던 가-9의 사례 이후 더 심해지게 되었다. 가-9는 번호로 알 수 있듯이 가-8보다 늦게 탄생한 개체였다. 일명 창조자께선 시행착오를 거친 후기 개체인 만큼 완벽하기를 바랐다고 했다. 하지만 가-9는 섬세하고 손위 개체를 아끼는 모습을 보여준 탓에 일명 창조주를 크게 실망하게 했다. 인정(人情)은 불필요한 뇌 내 화학반응이라나? 결국 가-9는 정신이상자라며 전두엽을 거세당했고 두 번 다시 예전처럼 돌아오지 못했다. 이런 일련의 광경을 보며 가-8은 아무것도 표현 말고 가만히 있는 것이 상책임을 깨닫게 되었다. 자신이 할 수 있는 것이 아무것도 없었기 때문이었다. 무엇이 잘못된 건지도 알지 못했다. 그저 모두가 그러니 자신도 그래야겠다, 따랐을 뿐이다.

강태경

그렇기에 종자 중 하나가 공장 중 하나를 파괴 공작을 벌이고 도망쳤다는 소식을 들었을 땐 그자가 멍청하다고 느끼곤 했다. 어차피 혼자서는 할 수 있는 것도 없는데 무엇을 하겠다는 건지, 가-8은 알지도 못했고 알고 싶지도 않았다. 무엇보다 이제 그녀는 은퇴를 앞두고 있었다. 기대 수명 4년 중에 어언 3년, 창조자도 기대 이상이라며 칭찬하곤 했다. 그것과 별개로 업무에서 배격되기 시작했지만 말이다. 신모델인 '다형'이 가-8의 전담이었던 공장 정문 호위를 맡는다고 하룻밤 만에 명단에서 지워졌을 때 숙소에 들어가 그녀 자신도 모르게 눈물을 흘렸다. 이게 무슨 일인지 짐작조차 못 했지만 그냥 그러고 싶은 기분이었기 때문이었다. 갈수록 은퇴의 압박은 거칠어졌고, 나중에는 불필요한 개체라며 위협 사격하는 일까지 벌어졌다. 다른 '가형'은 얌전히 은퇴를 받아들였지만, 그녀는 속으로 어째서 그래야 하는지 의문을 품었다. 그래서였을까? 창조자는 마지막 임무라면서 파괴 공작을 벌인 종자를 잡아 오라고 했다. 그녀에겐 이제 선택의 여지가 없었다. 전투형이라서 짧게 깎은 머리 위로 헬멧을 쓰고 다른 남성형 전투원과 차별되는 곡선형 신체 위에 전투 조끼를 착용하였다. 이것이 마지막이 아니길 빌면서 말이다.

그리고 그녀의 의식은 끊어졌다. 마지막 숨을 들이켜기

직전 어떤 남자가 보인 것 같지만 신경 쓸 틈이 없었다. 눈을 떴을 때 형제자매를 보기를 바라며 눈을 감았다.

*

돌멩이는 붕대를 친친 감은 가-8의 사람 하나를 뚫어버릴 듯한 눈빛을 온몸으로 받아내고 있었다. 어떤 종류의 눈인진 확신할 수 없었지만 사이좋게 지내자는 뜻은 아닐 것 같다고 느꼈다. 그때 살리질 말 걸 그랬나, 하고 돌멩이는 자신의 변덕을 벌써 924번째 후회했지만 925번째로 자신은 사람을 살렸으니 복 받을 것이라 정신적으로 승리감을 되뇌었다. 어차피 가-8은 어디로 갈 수 있는 몸도 아니었다. 그런고로 둘은 기묘한 동거를 계속 이어가게 되었다.

*

○월 ✕일 맑음. 날씨: 비
지금은 채만 남고 말았지만, 옛날 섭라에는 고근성(古城洞)이라는 성이 있었다. 섭라읍을 방어하기 위하여 지어졌다는 읍성 중에서도 동북향을 방어하던 성이었다. 예로부터 해적의 침입이 잦은 섬이었지만 특히나 동쪽에서의 외

강태경

침이 심각했기에 동쪽 방면을 방어하는 고근성이 유독 단단한 장벽으로 이름이 높았다. 얼마나 대단했는지

지금도 섭라에는 단단함을 비유할 때마다,

"고근성 같다."

고 말하곤 한다. 성채 하나가 얼마나 큰 인상을 남겼는지 알려주는 사례라 할 수 있겠다.

각설하고 갑자기 역사 강의를 한 이유는,

"이게 무슨 고근성이냐?"

지금 남녀를 가르고 있는 이 한 천 쪼가리가 있기 때문이었다. 여자 쪽에서 넘어오면 죽는 걸로 안 끝난다는 살벌한 경고와 함께 설치된 장벽이었다. 돌멩이는 입은 살아서 고근성에 비유하기는 했으나 그 이상 나아가고픈 마음은 없었다. 일단 저 인간 흉기가 무서웠고, 생각해 보니 사생활이 보장된다는 점에서 나쁘지 않았기 때문이다. 그래서 그냥 두기로 했다.

"근데 이름이 뭐이요?"

"꺼져."

오늘도 다시 한번 속으로 욕설을 질펀하게 상상해 보는 돌멩이였다.

〇월 ✕일 흐림. 날씨: 비

영원할 것만 같았던 여름의 기승도 종언이 시작되기 시작한 8월이었다. 하늘이 말랐던 때만 해도 몸을 가누기 힘든 더위가 지금이 여름임을 강변하고 있었다면, 하늘이 저 검은 색 무리에 갇혀 힘을 못 쓰는 현재에는 그칠 줄을 모르는 저 비가 지금이 아직도 여름을 강변하고 있었다.

돌멩이는 한 번 팔을 쭉 뻗어 기지개를 켜 보았다. 뻐근했던 몸이 약간은 편해진 기분이었다. 그리고 지금 저의 몸을 뻐근하게 만든 원흉을 내려다보았다. 바닥에 얼굴이 다 시뻘게진 채로 누운 채 숨만 겨우 헐떡이는 한 여자가 보였다. 이마에 살짝 손을 갖다 대니 끓는 냄비 저리 가라 할 열기에 깜짝 놀라 재빨리 손을 뗐다. 상태가 심각해 보였다. 한 번 더 적신 수건을 짜고 이마에 살포시 올려놓았다.

"동정하지 마."

온종일 앓다가 처음으로 한다는 소리가 저것이었다.

"안 해. 오히려 속 시원해."

왠지 지기 싫어 한마디 툭 던졌다. 거짓말을 아니었지만 속 시원하단 말은 저도 모르게 정정하고 싶어졌다. 이유는 정확하게 골라내지 못했다.

"그럼…… 뭐야. 아픈 꼴을 보니까 속 시원해?"

"그런 거 아냐."

강태경

"뭐가 아닌데……. 그럼 일부러 간호한단 소리야? 저번까진 없는 사람 취급하던 주제에 이제야?"

"일부러 간호하는 건 맞아. 이제 목소리 높이지 마."

"뭘 높이지 마? 그냥 다물고 있으라고? 그래, 듣기 싫겠지. 나는 입 다물고 잘나신 분의 호의나 받으면 그만이겠지…… 콜록! 크흡! 입 다물고 그냥 하라는 대로 해야 하는 게 내 의무니까 말이야. 그래, 그대로 해주지, 콜록! 그냥 인형처럼……."

"그만해!"

갑작스레 봇물 터지듯 쏟아져 나오는 감정의 홍수에 돌멩이는 무언가 지뢰를 밟아도 단단히 밟았음을 깨달았다. 저건 생각 없이 지껄이는 소리가 아니라는 생각이 들었다. 몰래 속으로만 삭여두다가 모종의 이유로 홧김에 모조리 터져 나온, 그런 종류의 울화임이 틀림없었다. 저는 심리학자가 아니었기에 이런 상황에서 어떤 말을 해야 좋을지 전혀 알지 못했다. 그저 마음에서 우러나온 말 몇 마디만 중얼거릴 뿐이었다.

"이제 괜찮아질 테니까, 그냥 푹 자."

그리고 돌멩이는 젖은 수건을 가지러 자리를 옮겼다. 왠지는 알 수 없었지만 이제야 막힌 속이 뚫린 기분이었다.

가-8은 망연해져 돌멩이의 뒷모습만 바라보았다. 그러다 한번 머리를 비우고 눈을 감아보기로 했다. 그날은 편한 잠자리였다.

　○월 △일 날씨: 비
"자?"
"응."
"자는데 말을 해?"
"내가 잔재주가 많아."
"말을 말지, 진짜……."
"야."
"왜?"
"그……."
"뭔데? 말을 해."
"너 이름이 뭐야?"
"갑자기 왜?"
"구, 궁금해서 그런다! 왜?"
"후훗, 궁금해?"
"어……."
"가-8이야."
"뭔 이름이 그래?"
"몰라, 태어날 때부터 이랬어."

　　　　　　　　　　　　　　　　강태경

"그래도 부르기 힘든데. 음……. 그래! 난 그냥 가람이라 부르련다."

"갑자기 왜 맘대로 개명시켜?"

"사람을 숫자로 부르면 이상하잖아."

"뻔뻔하기가. 에휴."

"그럼 싫어?"

"……싫지 않아."

○월 △일 날씨: 흐림

환절기가 와서 일교차가 사람 마음처럼 극도로 오락가락하였다. 이번엔 돌멩이의 몸이 견뎌내지 못했다. 독감에 걸렸는지 그대로 앓아누워 끙끙거리기만 했다. 이번엔 가람이 젖은 수건을 바꿔주며 간호하고 있었다. 입으로는 귀찮은 남자라고 투덜거리고 있었다. 시선은 당최 눈을 뜨지 못하는 돌멩이의 얼굴에서 벗어나질 못하고 있었지만 말이다.

돌멩이의 손은 의지할 곳을 찾고 있었다. 갈 곳 잃은 손은 겨우 임자를 찾았다. 따뜻한 감촉에 돌멩이는 저도 모르게 아픔도 잊고 서서히 숙면에 몸을 맡겼다.

가람은 몸이 그만 굳고 말았다. 이 남자의 손이 자신의 손을 갑자기 꼭 잡아챈 탓이었다. 반사적으로 쳐내야 마땅

하건만 어째서인지 정신을 차리니 남의 손을 주물럭거리고 있는 자신을 발견하였다. 저도 모르게 손을 뺐다.

다른 사람이 된 것만 같은 기분이었다. 그런데 싫지도 않아 혼란스러워 자리에서 내뺐다.

○월 ※일 날씨: 습함

이제 고근성은 있으나 마나였다. 정확히는 존재는 했지만 둘 다 마음대로 들락날락했다. 담소를 나누고 함께 사냥을 나서고 밥도 같이 먹는 게 일상이 되었다. 다만 잠자리만 따로 할 뿐이었다.

그런데 어느 순간부터 잠자리가 허전하기 시작했다. 둘 다 마찬가지라 서로 각자가 있는 방향을 향해 몸을 돌려 눕곤 했다.

○월 ※일 맑음. 날씨: 맑아짐

고근성이 함락됐다.

1년이 지나 사랑의 결실이 탄생했다. 사내아이였다. 자두 같은 피부를 만지는 순간 눈물이 벅차오르면서도 입으로는 웃음이 지어졌다. 이 순간만큼은 둘 다 한마음이었다.

1년이 지나 아기의 육아를 진지하게 고민할 즈음 부부는 결론을 내렸다. 이 섬은 아기가 살만한 환경이 아니었다.

강태경

더 크고 안전한 세상으로 나아가야만 했다. 그리고 섬에서 나갈 수 있는 곳은 단 한 곳뿐이었다.

*

[다음은 국가 의정부(議政府)에 제출된 녹취록으로 기존의 녹음을 대조해 대화자들의 신원이 확인되었다.]

[총기 장전으로 추정되는 소리와 함께 문이 열리는 소리]

송 구밀: 아니, 대표분 아니십니까? 갑자기 무슨 일이시죠?

영 호우: 날 속이고도 무사할 줄 알았나?

송 구밀: 무슨 말이신지요? 일단 앉아서 얘기하시죠. 자, 여기…….

영 호우: 꼼짝 마. 여기서 아무도 못 나가!

송 구밀: 이게 무슨 망발이오? 특정한 이유 없이 외교 사절을 구류하는 건 엄연히 국제법 위반인데. 석학인 당신이 모를 턱이 있나. 거기에 당신은 여기를 불법 점거하고 있으므로 공식적으로 아무런 권위를 내세울 수 없소이다. 그러니 묻겠소. 우리의 구체적인 혐의가 무엇이오?

영 호우: 말장난은 질렸어. 당장 따라와.

송 구밀: 그럴 순 없지. 굴복할 바에야 죽겠소.

[실랑이로 생긴 소리]

송 구밀: 이게 무슨 짓이야? 당장 무기를 내려놔!

[총격으로 추정되는 소음]

송 구밀: 살려줘! 이건 살인이야! 반역이야! 아무도 없느냐? 호위병, 호위병!

[총격과 비명]

[음성 기록 종료]

*

이후 진압 과정에서 사신단 측에 1명의 부상자가 발생하였으나 공 호우를 사살하였다. 이에 반발한 섭라의 주민들이 소요를 일으켰고 본토에서 파견한 진압군과 교전하여 진압군 15명의 사상자가 발생하였고, 부득이하게 거주민들을 전원 사살하였다. 이는 사신단의 대표였던 송 구밀이 청문회에서 직접 진술한 바이다.

*

[다음은 평리원(平理院) 창고에서 보관 중이던 cctv 녹취

강태경

록이다. 첫 발견자의 증언에 의하면 〔엄중 보관〕이라 적혀 있었다고 한다. 기존 음성이 존재하지 않는 일부 대화자의 신원이 아직 불명이다.〕

송 구밀은 부하들에게 명령을 내렸다. 한눈에 봐도 힘깨나 쓰는 어깨들이 총을 장전했다. 한 판 일을 벌일 태세였다. 바깥에는 벌써 사신단으로 위장했던 민간군사업체 직원 100명에게 전투준비태세를 명령한 지 오래였다. 준비는 완벽했다.

쿵쿵, 발 구르는 소리가 분노를 음성화하고 있었다. 때가 됐군, 하고 송 구밀은 신호를 내렸다. 발포 준비 명령이었다. 과연 예상에서 한치도 벗어나지 않고 분노한 영 호우가 들어왔다.

"아니, 대표분 아니십니까? 갑자기 무슨 일이시죠?"

총을 겨누면서 한 말치고는 꽤 뻔뻔했다.

"날 속이고도 무사할 줄 알았나?"

영 호우 역시 호위를 데리고 들어왔으나 고작 2명이었다. 적어도 5명인 적과는 명백히 열세였다. 그럼에도 굴하지 않고 삿대질을 했다.

"무슨 말이신지요? 일단 앉아서 얘기하시죠. 자, 여기…"

"꼼짝 마. 여기서 아무도 못 나가!"

영 호우 측이 먼저 총을 겨누었다. 명분을 제공 받자 송 구밀의 광대가 좋아서 씰룩거렸다.

"이게 무슨 망발이오? 특정한 이유 없이 외교 사절을 구류하는 건 엄연히 국제법 위반인데. 석학인 당신이 모를 턱이 있나. 거기에 당신은 여기를 불법 점거하고 있으므로 공식적으로 아무런 권위를 내세울 수 없소이다. 그러니 묻겠소. 우리의 구체적인 혐의가 무엇이오?"

총으로 대치하는 상황에서 뻔뻔하게 나오자 영 호우는 더는 참지 않았다. 무력으로 집압코자 하였다.

"말장난은 질렸어. 당장 따라와."

"그럴 순 없지. 굴복할 바에야 죽겠소."

송 구밀은 이미 준비하고 있었다. 숨겼던 대검 빼들었다. 놀란 영 호우가 반사적으로 팔을 들었으나 애꿎은 팔뚝만 반쯤 잘리고 말았다.

"이게 무슨 짓이야? 당장 무기를 내려놔!"

쏘라는 뜻이었다. 부하들은 송 구밀의 뜻을 잘 알고 있었다.

"살려줘! 이건 살인이야! 반역이야! 아무도 없느냐? 호위병, 호위병!"

발포 소리와 함께 3명이 쓰러졌다. 한 명은 송 구밀 쪽, 영 호우 쪽 두 명은 모두 즉사했다. 영 호우는 살점만 남

강태경

기고 사라졌다. 송 구밀은 아쉬워 발을 굴렀으나 길게 끌수는 없었다. 즉시 명령을 내렸다.

"기술만 남겨라. 포로 말고."

*

돌멩이는 자신이 보는 광경을 믿을 수 없었다. 난데없이 무장한 군대가 도시로 들이닥치더니 사람들을 한데 몰아놓곤 쏴 죽여대고 있었다. 남녀노소 상관없었다. 노인은 개머리판으로 때려죽이고, 남자는 쏴 죽이고, 여자는 놀리다가 죽이고 아기는 던져 죽였다. 공장에서의 생명 탄생 과정을 두 눈 뜨고 보지 않았더라면 구토가 쏠려 들켰을 터였다. 하지만 시간이 없었다. 빨리 배를 찾아 선착장으로 가야했다. 가람 본인이 시선을 끌겠다고 말한 지 벌써 한 시간이었다. 부디 잘못되지 않았기를 바라며 환풍구에서 빠져나왔다. 가슴팍에서 귀마개를 하고 잠든 아들을 보며 힘을 냈다. 선착장에는 다행히 배가 있었다. 배를 향해 달려가던 와중이었다.

신체, 특히 배가 뜨끈해지는 것을 느꼈다.

아들 때문이 아니었다. 좀 더 근본적인 이유였다. 몸에 구멍이 뚫린 것이었다. 격통이 찾아오자 무릎부터 주저앉

게 되었다. 피가 멈출 생각을 않는데 어떻게든 아들에게만 피가 묻지 않도록 보자기를 풀어 바닥에 내려놓았다. 범인을 찾아 뒤를 돌아봤다.

그자였다. 참 재수 없던 그 얼굴. 공 호우였다. 어찌 된 일인지 오른팔이 덜렁거려 팔의 역할을 못하긴 했지만 말이다.

"널 기억하고 있지."

공 호우의 얼굴은 분노로 상기되어 있었다. 만약 밥솥이었다면 연기가 뿜어져 나올 터였다.

"어디 갔나 했더니 2년 만에 돌아오셨군. 그……."

아무래도 2년 전 일을 아직도 기억하는 듯했다. 공 호우가 옆을 흘끗 보더니 비웃었다.

"아기는 뭐냐? 네 새끼냐? 자연분만이냐? 어리석긴."

그리고 다가와 아들에게 총을 겨누었다. 돌멩이는 아들을 살리고자 기어가 품에 안았다.

총이 발사되고 돌멩이는 죽음을 직감하였다. 1초, 2초, 3초……. 꽤 지났는데도 고통이 크지 않자 고개를 들었다. 영 호우가 서 있었다. 문자 그대로 서 있기만 했다. 입에서 검붉은 피를 내뿜더니 그대로 꼴사납게 넘어졌다. 돌멩이는 천사가 온 줄로만 같았다. 사실 천사가 맞긴 했다. 콩깍지가 껴 천사처럼 보이는 저의 아내가 왔기 때문이었다.

강태경

부부는 마주 본 순간 직감했다. 둘 다 사람보다는 넝마에 가까웠다. 피부는 기존의 살색 보다는 붉은색이 더 많았다. 이 자리에서 멀쩡한 존재는 아들뿐이었다.

그나마 몸을 움직일 수 있는 가람이 돌멩이를 부축했다. 돌멩이는 미리 빼돌렸던 인큐베이터에 아들을 태웠다. 그리고 쪽배 하나에 실려 보냈다. 목적지는 육지였다. 아마 곧 닿으리라.

*

표면장력을 넘긴 컵 속의 물이 순식간에 흘러나오듯이 불길이 공장 창문을 터트리며 터져 나오기 시작했다. 이제 공장이라 할 수 없는 건축물은 완전히 뼈대조차 남기지 못하고 해수면으로 가라앉는 배처럼 토지를 향해 침몰하였다. 온 건물을 집어삼킨 탐욕스러운 불꽃이 다른 먹잇감을 찾아 사방을 휩쓸며 다가왔다.

화마(火魔)가 다가오고 있지만 이 한 쌍은 그따위 문제에는 전혀 개의치 않았다. 사랑의 결실이 저 멀리 떠나가건만 다른 데에 신경 쓸 여유 따윈 없었다.

세상에 갓 났을 때의 그 갓 말린 듯한 자두 같은 그 피부를 떠올렸다.

첫 옹알이를 했을 때의 그 목소리를 떠올렸다.

엄마와 아빠 중에 무얼 먼저 말하는지를 두고 다투던 때 어리둥절하던 그 눈빛을 떠올렸다.

세상에 처음으로 발을 디디었을 때 지었던 그 미소를 떠올렸다.

헤어지기 직전 그들에게 뻗은 아들의 오밀조밀한 손을 떠올렸다.

태양이 다시 떠오르며 타오르는 붉은 곡선과 차디찬 쪽빛 직선 사이, 한 검은 형체가 아른거렸다. 이젠 다신 볼 수 없음을 직감해 언제까지고 아들의 마지막 모습을 보았다. 그들은 결코 볼 수 없을 다 큰 아들의 세배가 눈앞에 아른거리는 듯했다.

아들의 마지막 행로를 몇 번이고 바라보던 둘은 마지막을 직감하며 동시에 서로를 바라보았다. 서로의 마음을 느끼며 부부는 마지막으로 입맞춤을 나누었다.

강태경

작가노트

　어린 시절 안방을 마주 보던 서재가 기억에 생생합니다. 그 서재에는 3면을 가득 채우고도 남아 마루에 또 책장을 놔야 할 정도의 책이 있었고, 그 덕에 비록 전자기기는 없었다만 하나도 심심하지 않은 시절을 보낼 수 있었습니다. 대학생이 되고 나서야 스마트폰이라는 물건을 접했을 정도였으니 말입니다. 이제는 스마트폰으로 텍스트를 보고 있지만 말이죠. 기계화됐을 뿐 어린 시절과 같은 청춘을 보내고 있습니다.

　글을 읽다 보니 저절로 머릿속에 우주를 그리게 되었습니다. 그리고 그 우주 속의 이야기를 글로 표현해 보고 싶었죠. 대하소설인 『삼국지연의』, 『토지』 등이 전체적인 구성을 도와주었고 다른 여타 장르의 소설들 덕에 글에서 다양한 분위기를 뿜어낼 수 있게 되었습니다. 모든 책과 저자에게 고마울 뿐입니다.

이제 남은 것은 집필뿐이었습니다. 그렇기에 이번 기회에 이 대하의 한 부분을 써보고자 하였고 이렇게 선을 보이게 됐습니다. 아무래도 학교 과제다 보니 급하게 틀에 맞춘 데다 욕심이 과해서 다소 저열한 작품이 탄생해버렸네요. 이 글을 읽는 독자들에겐 죄송한 마음뿐이고, 본편은 더 잘 쓸 수 있도록 절차탁마해 돌아오겠습니다.

편집 후기

누군가와 함께 머리를 맞대어 주제를 의논하고, 함께 시작할 첫 문장을 정하고, 서로 쓴 원고를 모으고 책으로 엮는 일련의 과정은 분명 쉽지 않은 과정이었습니다.

시간의 문제가 가장 컸으니까요. 아무래도 약 3주 만에 단편 하나를 써내는 건 창작이 익숙하지 않은 사람들에게 있어 절대 쉬운 도전이 아니었습니다. 그러나 다행히 기간 내에 모든 원고가 모였고, 이렇게 편집하게 되었습니다.

5인 5색의 단편들을 한데 모으니 제법 태가 사는 건 물론이거니와, 부족하지만 있는 대로 편집을 진행하니 '그래도 이 정도면?'하는 생각이 들 정도로 그럴싸한 결과물이 나온 것 같습니다. 사실 여기에는 훌륭한 표지와 속표지를 제공

해준 시각디자인과 학생분들의 협업이 없었더라면 불가능했을 것이죠! 이 자리를 빌려 진심으로 감사드립니다.

저에게나 이 책을 만들기 위해 원고를 부단히도 쓴 강중현, 강태경, 김연유, 황민지 학우분들께도 진심으로 감사드립니다. 사실 대학생에게 있어서 창작 활동은 쉬이 경험한 자가 적고, 그렇기에 하나의 완성된 단편을 촉박한 시간 내에 완성하는 건 더더욱 어려운 일이었습니다.

집필 기간 내내 말로는 초고 완성이 알파이자 오메가라고, 우리는 초고만 쓰면 다 된다며 강조하고 독촉했지만, 한편으로는 익숙하지 않은 창작을 그것도 정해진 장르와 정해진 첫 문장으로 써내 완성하는 일은 결코 쉬운 게 아닙니다.

당장 학과 커리큘럼에 있는 소설 창작 수업도 15주 수업 동안 개요, 초고 작성, 피드백과 퇴고를 아우르는데 지금은 고작 3주, 실질적으론 2주에 개요와 초고를 모두 끝내야 했으니까요. 엄청나게 어려운 일입니다.

그러니 이 자리를 빌려 초고를 무사히 다 쓰신 분들께 수고와 감사의 박수를 올려드리고 싶습니다.

말이 길었네요. 부족한 단편들이지만 재밌게 읽으셨길 바랍니다!

-안주현

'가천 책 인문 프로젝트'를 시작하며

 '프로젝트'라는 단어가 그리 낯설지 않은 요즘. 여럿이 모여 몇 권의 '책'을 만들기로 했다. 일상 곳곳에서 맞닥뜨리는 지극히 익숙한 대상이지만, 줄곧 읽을 생각만 했지 정작 이를 만드는 일까지는 상상해 보지 못했던 터였다.

 '가천'에서 '인문'으로 만난 이들. 처음부터 끝까지 기획, 집필, 편집, 디자인 모두 이들 손에 이루어졌다. 매년 이맘때면 이런 결과물이 앞자리 번호를 달고 하나둘 쌓이리라 기대한다. 시간을 거스르며 결국은 그 숫자들이 우리를 이어 줄 것이다.

 짧지만 강렬했던 한 달이 지난 지금, 어느새 모두 책 한 권의 저자가 되었다. 첫 출판의 도전을 마치자마자 우리는 또 각자 새로운 이야기를 꿈꾼다. 그 출발을 함께할 수 있어 기쁘고 벅차다.

2020년 12월
'가천 인문 책 프로젝트'를 시작하며,
가천대학교 인문대학